D1037784

A*t*V **Texte zur Zeit**

Name:	Hasselbach, Ingo
Geburtsdatum:	14. Juli 1967
Geburtsort:	Berlin-Weißensee
Mutter:	Redakteurin, Mitglied der SED
Vater:	Journalist, Mitglied der SED
Stiefvater:	Redakteur, Mitglied der SED
Kindheit:	Kinderwochenheim in Grünheide bei Berlin. Später wohnhaft bei den Großeltern in Berlin-Prenzlauer Berg
1972:	Umzug nach Berlin-Lichtenberg
1973 bis 1983:	Schulbesuch mit Abschluß der achten Klasse
1983 bis September 1984:	Maurerlehre
1985:	Erste Verurteilung wegen Rowdytums
6. Februar 1987:	Heirat
März bis November 1987:	Gefängnishaft wegen öffentlichen Rufens des Satzes „Die Mauer muß weg!" Verbüßung der Strafe in Rummelsburg, Bitterfeld und Rüdersdorf
Ende 1987:	Arbeit als Aushilfskraft (Haushandwerker)
Anfang 1988:	Erste neonazistische Aktivitäten: Gründung der „Lichtenberger Front" und der „Bewegung 30. Januar"
August 1988:	Ehescheidung
November 1988:	Verurteilung zu zehn Monaten auf Bewährung wegen „öffentlicher Herabwürdigung"
August 1989:	Versuch einer „Republikflucht" über die Tschechoslowakei. Inhaftierung bis November 1989 in Cottbus, Dresden und Bautzen
6. November 1989:	Flucht in die Bundesrepublik

	Deutschland (drei Tage vor dem Fall der Mauer)
Januar 1990:	Treffen mit der Führungsriege der bundesdeutschen Neonazis, Kontakte zu Michael Kühnen und Nero Reisz
30. Januar 1990:	Gründung der „Nationalen Alternative" (NA), Parteizentrale wird die Weitlingstraße 122 in Berlin-Lichtenberg
Mai 1990:	Sechs Wochen Untersuchungshaft in Berlin-Rummelsburg wegen Verbreitung faschistischen Materials
Juni 1990:	Erste internationale Kontakte in die USA, nach Spanien, Italien, Frankreich, Belgien und Dänemark
Oktober 1990:	Wahl zum Parteivorsitzenden der NA
Januar 1991:	Mitarbeit am Sozialprojekt von Michael Heinisch in der Pfarrstraße 108 (Berlin-Lichtenberg)
März 1991:	Niederlegung aller Parteiämter und Austritt aus der NA
März bis Juli 1991:	Beteiligung an Straßenschlachten mit Linksradikalen und Angriffen auf das Haus Pfarrstraße 111
Juli 1991:	Gründung der Kameradschaft „Sozialrevolutionäre Nationalisten"
Oktober 1991:	Erneut Straßenschlacht mit Linksradikalen in der Pfarrstraße. Auf beiden Seiten Schwerverletzte
November 1991:	Entlassung auf Druck der militanten Antifa aus dem Sozialprojekt Pfarrstraße. Das Projekt ist damit gescheitert
Dezember 1991:	Wiederbeginn von Aktivitäten in der rechten Szene. Dreharbeiten

	zu einem Film „Wir sind wieder da"
Februar 1992:	Verurteilung wegen Widerstand gegen die Staatsgewalt und Körperverletzung
März bis Juli 1992:	Leitung von regelmäßigen Schulungsabenden und Wehrsportlagern. Angriffe auf linksbesetzte Häuser
September 1992:	Verurteilung (die siebente) wegen Beleidigung und Volksverhetzung. Rostocker Pogrom
Oktober 1992:	Morde von Mölln
Dezember 1992:	Ausstrahlung des Films „Wir sind wieder da"
Januar 1993:	Eine Gerichtsverhandlung wegen Körperverletzung endet mit Freispruch
Februar 1993:	Ausstieg aus der rechten Szene
März 1993:	Öffentliche Bekanntmachung dieses Ausstiegs
Seit März 1993:	Zahlreiche Auslandsaufenthalte. Arbeit am hier abgedruckten autobiographischen Bericht

Ingo Hasselbach
Winfried Bonengel

DIE
ABRECHNUNG
EIN NEONAZI STEIGT AUS

Mit einem Nachwort
von Horst-Eberhard Richter

Aufbau Taschenbuch Verlag

INHALT

Ich wohne jetzt wieder am Prenzlauer Berg, wo ich zuletzt vor sechzehn Jahren gelebt habe. Hier, in der Anonymität dieses tolerantesten aller Berliner Stadtbezirke fühle ich mich einigermaßen sicher.

Nach meinem unwiderruflichen Ausstieg aus der Neonaziszene erhielt ich Morddrohungen von verschiedenen Leuten, solche, die ich sehr ernst nehmen muß, aber auch solche, die mich eher amüsieren, zum Beispiel, wenn ein mir gut bekannter Hooligan in aller Öffentlichkeit damit prahlt, mich „killen" zu wollen. Innerhalb der rechten Szene in Berlin gibt es allerdings gewaltbereite Gruppen, denen ich alles zutraue.

Deshalb habe ich mein Leben von Grund auf ändern müssen. Ich kann heute nicht mehr nach Berlin-Lichtenberg fahren, wo ich fast mein ganzes bisheriges Leben verbrachte. Meine Geschwister und meine ganze Familie leben in diesem Stadtteil von Ostberlin, und sie sind jetzt gefährdet.

Es fiel mir leichter, aufzuschreiben, was ich erlebt habe, wenn ich dabei an einen konkreten Menschen dachte. Dieser Mensch konnte nur mein leiblicher Vater sein. Und so ist das Ganze ein langer Brief an ihn geworden.

Lieber Hans!

Du weißt sicher, daß ich meinen Ausstieg aus der Neonaziszene diesmal öffentlich und damit unumkehrbar gemacht habe. Es gibt in Berlin eine sehr militante und gewaltbereite Szene, die mich unbedingt kriegen will. Wenn ich diesen Leuten in die Hände falle, werde ich wahrscheinlich kaum mehr die Gelegenheit haben, diesen Brief zu Ende zu schreiben oder mich mit Dir auszusprechen.

Du wirst Dich fragen, warum ich diesen Schritt in dieser spektakulären Form vollzogen habe, statt einfach still und leise der Szene künftig fernzubleiben. Ich brauchte den Druck, unter keinen Umständen mehr zurückgehen zu können. Es war ein für mein Leben so entscheidender Schritt, daß eine Revision unmöglich sein muß.

In den letzten Jahren hatte ich häufig Gelegenheit, mich öffentlich über Dich zu äußern. Ich tat das fast immer so, daß es Dich beleidigen mußte. Für viele dieser Äußerungen möchte ich mich bei Dir entschuldigen. Es gibt aber andere Dinge, die Du getan hast, die ich nicht akzeptieren kann und will: Du hast mich in die Welt gesetzt, und dann war ich für Dich kaum mehr wichtig. Man kann nicht einfach Kinder produzieren und dann so tun, als ob sie einen nichts mehr angingen.

Bitte, versteh mich nicht falsch, dieser Brief soll keine Anklageschrift sein. Ich habe nur Angst, daß sich mit mir ähnliches wiederholt, wie es Dir geschehen ist. Eine meiner Freundinnen ist inzwischen von mir schwanger geworden, und ich weiß jetzt schon, daß ich mein Leben nie mit ihr teilen werde. Ich glaube, es wäre besser, dieses Kind käme nicht zur Welt. Ich nehme an, daß die Dinge mit Euch vor meiner Geburt ähnlich lagen. Ein Neugeborenes hat nicht gerade die besten Aussichten, wenn es im Grunde unerwünscht ist.

Ich schreibe Dir diesen Brief auch deshalb, weil ich glaube, daß Du mich praktisch überhaupt nicht kennst. Aber obwohl ich von meinen sechsundzwanzig Jahren nur ganze fünf Monate bei Dir verbracht habe, bist Du eine zentrale Figur in meinem bisherigen

2/3   Der elfjährige Ingo Hasselbach an der Ostsee. 1978

Leben gewesen. Ich bin zwar Dein leiblicher Sohn, aber dieses
Gefühl, Dein Sohn zu sein, hast Du mir von Dir aus niemals ver-
mittelt. Ich kann mich nicht erinnern, daß ich Dich jemals Vater
genannt habe. Vielleicht ist es für Dich interessant, mehr über
mich zu erfahren. Deshalb werde ich Dir die wichtigsten Momente meines Lebens und die dazugehörigen Personen beschreiben.

Kindheit am Prenzlauer Berg

Die erste und wichtigste Zeit meiner Kindheit verbrachte ich bei
meiner Oma und bei meinem Großvater. Ich wußte als kleiner
Junge gar nicht, daß Du mein richtiger Vater bist.
Der Prenzlauer Berg faszinierte mich. Die alten Häuser mit ihren
verwinkelten Hinterhöfen waren für mich ein einziger Abenteuer-
spielplatz. Oft lief ich mit den Nachbarskindern über die Dächer

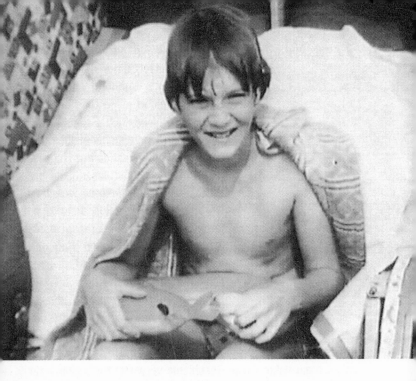

der Dunckerstraße. Manche Straßen konnte man über lange Strecken die Dächer entlang gehen. Ein anderer meiner Lieblingsorte war die S-Bahn-Brücke zwischen Prenzlauer und Schönhauser Allee. Wir spielten dort fast jeden Tag an den Gleisen.

Die Abende verbrachte ich meist bei meiner Oma. Dich hielt ich für einen sympathischen Onkel. Ich kann mich noch gut daran erinnern, wie Du manchmal zu Besuch da warst und mit mir gespielt hast.

1971 zogen wir dann in das Neubauviertel südlich der Frankfurter Allee in Lichtenberg. Die Wochenenden verbrachte ich dennoch weiterhin bei meiner Oma am Prenzlauer Berg. Die Menschen dort erschienen mir schon damals viel lockerer und ungezwungener als die Bewohner des Neubauviertels.

Im Haus meiner Oma wohnte damals eine Kommune. Die langhaarigen Hippies luden mich häufig in ihre Wohnung ein. Lange Haare waren zu dieser Zeit in der DDR verpönt. Die Mitglieder der

4 Ingo Hasselbach. 1982

Kommune liefen dort fast alle den ganzen Tag nackt durch die im Erdgeschoß liegende Wohnung, und an den Fenstern hingen keine Gardinen. So sah man gelegentlich Schaulustige, die auf der Straße stehenblieben und die nackten Frauen angafften. Ich war von der Lebensweise dieser Leute fasziniert, die mich richtig verwöhnten. Dort rauchte ich meine erste Zigarette. Es störte mich überhaupt nicht, daß einige der Leute in der Wohnung bereits über dreißig waren. Gelegentlich übernachtete ich sogar bei den Langhaarigen, und der Gedanke, eines Tages so zu leben wie diese Hippies, machte mich fröhlich.

Zu dieser Zeit war es, daß Oma mir erzählte, Du seiest in Wirklichkeit mein Vater. Diese Geschichte verwirrte mich zuerst ein wenig. Im Grunde war ich jedoch froh, zumal ich mit Edgar, meinem Stiefvater, seit einiger Zeit überhaupt nicht mehr klarkam. Ich hatte schon längst das Gefühl gehabt, daß er meine Halbgeschwister bevorzugte. Indem mein Stiefvater damit anfing, mich in der Familie zu diskriminieren und versuchte, unsere Probleme mit Gewalt aus der Welt zu räumen, verspielte er seine letzten Sympathien bei mir. Meine Mutter hat zwar in diesen Auseinandersetzungen immer zu mir gehalten, sie konnte sich aber gegen das grobe Verhalten meines Stiefvaters nicht durchsetzen. Wie hätte ich Dich damals gebraucht.

Von nun an erschien ich nur noch zum Schlafen in unserer Wohnung und ging so allen Auseinandersetzungen mit Edgar aus dem Wege. Mein Leben spielte sich fortan auf der Straße oder in den Wohnungen anderer Leute ab.

Punk und Bürgerschreck in Lichtenberg

In unserem Neubau-Wohngebiet existierte bald eine ziemlich große Clique von Jugendlichen, in der es Hippies, Punks und auch schon Rechte gab. Als Dreizehnjähriger war ich noch immer am meisten von den Hippies fasziniert. Die waren im Durchschnitt alle sechs bis acht Jahre älter als ich. Sie taten nur das, worauf sie gerade Lust hatten, und diese Lebensauffassung kam meinem Naturell sehr entgegen. Mit Arbeit hatte kaum einer von ihnen etwas am Hut.

Wir waren ständig unterwegs. Am Wochenende nahmen mich die Hippies immer zu irgendwelchen Konzerten mit, und im Sommer fuhren wir regelmäßig an die Ostsee. Alle kümmerten sich rührend um mich, ich war ja mit Abstand der Jüngste von ihnen. Jeder fühlte sich für mich verantwortlich. Mal wurde aufgepaßt, daß ich nicht zu viel Alkohol trinke, ein anderes Mal, daß ich genügend zu trinken hatte.

Die Nachmittage verbrachte ich meist damit, Alkohol aus der nächsten Kaufhalle zu klauen. Auf diese Diebestouren kam manchmal mein ältester Freund mit, Frieder Meisel, genannt Freddy. Er war der einzige Gleichaltrige in der Gruppe. Freddy fühlte sich schon mehr den Punks zugehörig, aber das hatte damals keinerlei Bedeutung. Fast jedesmal, wenn wir beide unterwegs waren, passierte irgend etwas.

Einmal, als ich mit ihm in einer Kaufhalle stand, fielen mir die gestohlenen Flaschen aus der Tasche. Angestellte und Kunden starrten mich fassungslos an. Ich nutzte das aus und rannte, so schnell ich konnte, aus der Kaufhalle. Freddy schrie mir nach: „Haltet den Dieb!" Eine halbe Stunde später traf ich Freddy auf dem Spielplatz unseres Neubauviertels wieder. Ich fragte ihn, warum er „Haltet den Dieb" gerufen hatte. Freddy holte ein paar Flaschen Schnaps aus seiner Tasche hervor: „Das war doch nur ein Ablenkungsmanöver!" Dann betranken wir uns zusammen mit den Hippies.

Tabus kannte Freddy damals schon längst keine mehr. Er amüsierte sich, wo er nur konnte.

Irgendwann hatten wir damit begonnen, zu schnüffeln. Wir verwendeten meist Fleckenentferner oder Benzin. An manchen Abenden war ich so dicht, daß ich nicht mal mehr wußte, wie ich heiße. Wenn ich dann nachts nach Hause kam, ging ich immer sofort ins Bett. Mein Stiefvater und meine Mutter bemerkten nie etwas. Beide waren durch ihre Arbeit sehr ausgelastet, was Du Dir ja denken kannst. Es war ja bei Dir nicht anders. „Alle Kraft für den Sozialismus", da blieb für die Familie kaum mehr Zeit übrig.

In dieser „Schnüffelzeit" lernte ich Gabi kennen. Sie war meine erste richtige Freundin.

Nach und nach spalteten sich die Punks von den Hippies ab. Freddys Irokesenfrisur provozierte die braven Bürger in der Öffentlichkeit. Und provozieren wollten wir. Je mehr ich mich mit Freddy herumtrieb, um so mehr verlor ich die Hippies aus den Augen. Ich habe dann nie wieder etwas von ihnen gehört. Nur einmal, vor zwei Jahren, sah ich einen im Gefängnis in der Keibelstraße. Ich befand mich gerade in Untersuchungshaft. Der Althippie begrüßte mich freundlich, obwohl ich zu dieser Zeit bereits ein stadtbekannter Neonazi war: „Das habe ich immer gewußt, daß ich dich hier wiedertreffen werde!" Er lachte selbstzufrieden.

„Warum?"

„Weil du hierher gehörst, ganz einfach."

Die Hippies waren mir im Laufe der Zeit einfach zu brav geworden. Da ging es bei den Punks schon ganz anders zur Sache. Die Punks fielen durch ihr aggressives Verhalten in der Öffentlichkeit auf. Die Leute in unserem Wohngebiet waren mit den Nerven fertig, als sie den ersten Punk mit Irokesenfrisur gesehen hatten. Am Anfang genügte es mir, mit grünen Hosen und hochgekämmten Haaren herumzulaufen. Nach und nach steigerte ich mich dann. Auf meiner Jacke standen provokative Sprüche wie: „Mach kaputt, was dich kaputtmacht", „Keine Macht für niemand" und „Du bist frei, wenn keiner dich beobachtet".

Ich hatte große Freude daran, in die geschockten Gesichter der Leute aus unserem Wohngebiet zu sehen, die ich alle für Stasispitzel hielt. Ich fühlte mich stark, und es gefiel mir, zu einer Gruppe von jungen Leuten zu gehören, die sich von niemandem mehr etwas sagen ließen und die durch nichts zu beeindrucken waren. Endlich hatte ich durch mein Auftreten eine eigene Identität gewonnen. Wir nahmen keinen mehr ernst und machten uns über jeden lustig. Wir waren jetzt keine Kinder mehr.

Freddy übertraf jeden anderen, wenn er alles ins Lächerliche zog.

Ich trank von Tag zu Tag mehr, Freddy und ich stahlen täglich bis zu fünfzehn Flaschen Schnaps aus immer anderen Kaufhallen der Stadt. Wenn wir mal nichts zu trinken hatten, gingen wir zum Spielplatz, um dort zu schnüffeln. Manchmal ließen wir aus der Kaufhalle auch Spaghetti mit Tomatensoße mitgehen, schütteten den Büchseninhalt einfach auf einen Betontisch und aßen alle zusammen davon. Als Besteck benutzten wir unsere Hände. Die Gesichter der ihre Kinderwagen vorbeischiebenden Mütter werde ich nicht vergessen. Sie zerrten ihre kleinen Kinder hysterisch vom Spielplatz.

Die Musik von den „Sex Pistols", von „UK Subs", „Plastmatics", „Fehlfarben" und „Hansa plast" putschte uns manchmal derartig hoch, daß wir, angetrunken, wie wir waren, zum Alexanderplatz zogen. Dort pöbelten wir Touristen und Polizisten an.

Manchmal beschränkten wir uns aber nicht allein darauf. Natürlich konnten wir, wie alle DDR-Bürger, die Westdeutschen ganz leicht an ihrem Verhalten und ihrer Kleidung erkennen. Freddy und ich machten uns einen Spaß daraus, gelegentlich einen der gut angezogenen älteren Herren auf die öffentliche Toilette zu begleiten. Meist in dem Moment, wenn der Mann am intensivsten beschäftigt war, rempelten wir ihn von hinten an, daß der Erschrockene gegen die schmutzige Wand fiel. Dabei verlor er manchmal seine Brieftasche. Die Volkspolizei schien sich für derartige Übergriffe nicht besonders zu interessieren. Einmal sahen wir eines unserer Opfer sich gerade bei einem Polizisten beschweren, der zuckte jedoch mit den Schultern. Wir betrachteten solche kleinen Überfälle schlimmstenfalls als Jugendstreiche.

Irgendwann ging einer von den Hardcore-Punks zu weit. Er wurde angeklagt. Frieder Meisel und ich waren als Zeugen in seinem Prozeß geladen. Wir sollten gegen den Punk, unseren Kumpel, aussagen. Nachdem ich dran gewesen war, fragte mich die Richterin, ob ich hier Zeuge in einer Strafsache oder Verteidiger des

Angeklagten sei. Ich hatte in meiner Zeugenaussage das ehrenvolle Verhalten, die untadelige Lebensweise und die hervorragenden Tugenden des Angeklagten gebührend herausgestellt.

Die meisten Punks hielten auch in für sie kritischen Momenten zusammen, und das Bewußtsein um die Gemeinschaft machte jeden einzelnen von uns nur um so radikaler.

Wir gingen nun überhaupt nicht mehr arbeiten und klauten, was das Zeug hielt. Die Volkspolizei kontrollierte regelmäßig unsere Ausweise. Freddy und ich hatten für solche Gelegenheiten unsere Standardsprüche drauf wie: „Den Ausweis können Sie gleich behalten, der gehört mir sowieso nicht." Im Personalausweis der DDR, er gilt noch bis heute, ist vermerkt, daß er nicht uneingeschränktes Eigentum seines Besitzers sei. Für unsere Bemerkungen wurden wir in der Regel für vierundzwanzig Stunden eingesperrt.

Zu unseren Lieblingsbeschäftigungen gehörte es damals, in den Tierpark zu gehen und Schnaps in die Tröge der Hängebauchschweine zu schütten. Wir amüsierten uns köstlich, wenn die besoffenen Schweine dann in ihren Boxen herumtorkelten.

Unser Verhalten eskalierte immer mehr, und wir konnten gar nicht mehr normal mit unserer Umwelt umgehen. Ich glaube, wir hatten zu dieser Zeit, ohne es richtig begriffen zu haben, bereits vollkommen mit der DDR abgeschlossen.

Nun wurden Kriminalpolizei und Staatssicherheit auf uns aufmerksam. Einer der Punks hatte weiche Knie bekommen und der Kripo alles über unsere Diebstähle erzählt. Er hatte vor allem Frieder Meisel und mich belastet, und nun schob uns die Polizei Diebstähle im Wert von fünftausend Mark in die Schuhe. Zweitausendfünfhundert Mark mußte meine Mutter für mich auf den Tisch legen. Zweitausendsiebenhundert Mark hatte meine Oma für mich gespart. Damit wurde der Sachschaden bezahlt. Ich empfand damals diese Geldstrafe als in höchstem Maße ungerecht, niemand hatte ernsthaft versucht, mir ein Unrechtsbewußtsein beizubringen. Alle hatten zu dieser Zeit wohl schon resigniert, und dabei stand doch alles erst am Anfang.

Frieder Meisel hatte in der Zwischenzeit versucht, die DDR illegal zu verlassen. Er wurde gefaßt und zu zwei Jahren Gefängnis verurteilt. Ich war damals für den Knast noch zu jung. Die Jugendhilfe verbannte mich aus Lichtenberg. Ich erhielt also ein Jahr Bewährung auf drei Jahre Jugendgefängnis. Viele Punks wanderten zu dieser Zeit in den Knast.

Ein Versuch zur Umkehr

Du warst bereit, mich aufzunehmen. Ich hatte also die Wahl zwischen dem Gefängnis und Dir, und ich zog zu Dir, um nicht in den Knast gehen zu müssen.

Ich wußte eigentlich fast gar nichts über Dich, außer daß Du kein unbekannter Journalist warst. Ich hatte keine Ahnung, wie ich mich Dir gegenüber verhalten sollte. Ich kannte Dich nicht.

Aus dem Kreis der vollkommen undisziplinierten, asozialen Punks kam ich über Nacht in eine ordentliche sozialistische Familie. Ich hatte es total verlernt, mich irgendwie unterzuordnen. Vielleicht war es auch nicht gut, mir jeden Kontakt mit meiner Mutter und meinen alten Punkfreunden zu untersagen, war ich doch mit einem Schlag aus meinem gewohnten sozialen Umfeld herausgerissen. Daraus kann ich Dir natürlich heute wirklich keinen Vorwurf machen. Ich weiß, wie schwer es damals gewesen sein muß, mit mir umzugehen.

Meiner Mutter tat es sehr weh, als ich auszog. Ich sagte mir selbst, daß ich mich jetzt eben mal zusammenreißen müßte. Anfangs dachte ich auch, ich könne mich an Dich und Deine Frau gewöhnen. Doch schon sehr bald merkte ich, daß Du Dir vorgenommen hattest, mich regelrecht umzuerziehen. Alles in der Wohnung mußte stets ordentlich sein. „Was soll denn bloß aus dir werden?" war eine Deiner Fragen, die Du mir immer wieder stelltest. Bei dieser Frage wurde mir jedesmal richtig schlecht. Denn einerseits interessierte mich die Antwort damals wirklich nicht, und andererseits konnte ich mir die Antwort auch nicht geben. Ich am allerwenigsten. Dann sollte ich öfter mal DDR-Rundfunk und DDR-Fernsehen zur Kenntnis nehmen. Also hörte und sah ich mir beides an und konnte nichts damit anfangen, ich

5   Ingo Hasselbach. 1986

hielt fast alles für Agitations-Schrott. Deine Versuche, mich ideo-
logisch zu beeinflussen, schlugen vollkommen fehl. Ich kann
mich nicht daran erinnern, daß wir uns mal über andere Dinge als
Politik unterhalten hätten. Heute glaube ich, daß es zwischen
Vater und Sohn in unserer Lage zuerst bestimmt wichtigere
Dinge zu besprechen gegeben hätte. Wir kannten uns doch beide
überhaupt nicht. Ich empfand die Situation als ziemlich beklem-
mend. Vielleicht hast Du Dich selbst unter einen ungeheuren
Druck gesetzt, indem Du einen guten Sozialisten aus mir machen
wolltest. Sicher dachtest du, was für Dich gut sei, müsse auto-
matisch auch für mich das Richtige sein.
Einmal klingelten Sylvio und ein anderer Kumpel bei Dir und frag-
ten, ob sie mich sprechen könnten. Du hast sie nicht vorgelassen
und einfach gesagt: „Der Ingo schläft schon." Sylvio flüchtete
ein paar Tage später in die Bundesrepublik. Wenn ich gewußt
hätte, daß Sylvio es gewesen war, der mit mir hatte sprechen
wollen, ich wäre sofort mitgegangen. Und sicher wäre ich mit

ihm zusammen geflohen. Ich sah Sylvio dann erst im Frühjahr 1990 wieder, fast vier Jahre später.

Als ich mich eines Tages heimlich mit meiner Mutter traf, kam es zum Eklat, denn Du hattest mir den Kontakt zu ihr untersagt. Als Du mich, so wie Du mich aufgenommen hattest, nun wieder auf die Straße warfst, war ich erleichtert. Zwar verstehe ich heute sehr gut, daß Du jeden Kontakt mit meinen Punkfreunden verhindern wolltest, aber warum Du mir den Kontakt mit meiner Mutter verboten hast, ist mir heute noch unbegreiflich.

Ich zog nun erst mal zu meiner großen Schwester nach Pankow, und noch am gleichen Abend war ich wieder bei meinen alten Kumpels in Lichtenberg. Während meiner einjährigen Abwesenheit hatte sich einiges verändert. Manche Punks standen jetzt auf „Böhse Onkelz", und einer hörte ständig alte Nazi-Wochenschauen auf Musikkassette.

Ein paar Tage später fuhr ich zusammen mit Frank Lutz und einem anderen Kumpel nach Grünau ins „Riviera". Das „Riviera" ist ein altes Gartenrestaurant an der Spree und war zu dieser Zeit Treffpunkt für alle möglichen schrägen Typen aus Ostberlin. Wir tranken tierisch viel und schluckten noch jede Menge Schmerztabletten. Ein paar Stunden später nahm uns die Polizei fest, als wir gerade dabei waren, den Wald um Grünau herum anzuzünden. Wir wurden sofort verhaftet. Die anderen konnten bereits nach ein paar Stunden wieder gehen, ich wurde als einziger drei Tage in Polizeigewahrsam gehalten. In einem Schnellverfahren wurde ich zum erstenmal verurteilt. Ich erhielt eine Geldstrafe von eintausendzweihundert Mark.

Jetzt tat ich wieder genau das, worauf ich gerade Lust hatte. Ich konnte kommen und gehen, wann ich wollte. Meine Schwester machte mir keinerlei Vorschriften.

Zu dieser Zeit lernte ich Christine kennen. Vier Monate später war ich mit ihr verheiratet. Ich war froh, endlich meinen alten Familiennamen ablegen zu können, denn mit meinem Stiefvater verband mich wirklich überhaupt nichts mehr.

Bei unserer Heirat erhielten wir einen Ehekredit von siebentausend Mark. Damals glaubte ich, mit Christine vielleicht doch noch ein normales Leben beginnen zu können. Ich war voller

Hoffnung, daß die Liebe zu Christine mich eine Zeitlang vor Dummheiten und möglichen Straftaten bewahren könnte. Aber schon einen Monat später war alles wieder vorbei.

„Die Mauer muß weg" – ein Jahr Knast

Eines Nachmittags beschlossen Freddy und ich, mit einigen anderen Leuten auf das Freundschaftsfest zu Ehren der sowjetischen Streitkräfte in die Lichtenberger Parkaue zu gehen. Wir tranken ziemlich viel und begannen, die Polizei zu provozieren. Unter den Polizisten, die hier anwesend waren, sahen wir auch Oberleutnant Schuchard, unseren Stammbullen, der uns schon oft vernommen hatte. Er kam auf uns zu und sagte: „Ich will euch heute hier nicht mehr sehen." – Zwei Stunden später saß ich in Handschellen vor ihm. Ich hatte mehrmals laut in die Menge geschrien: „Die Mauer muß weg!" Ein Streifenpolizist hatte uns in einen Keller des Polizeigewahrsams in der Keibelstraße gebracht. Zuerst wurde Freddy vernommen, und ich mußte zwölf Stunden warten, bis er endlich wieder zurückkam. Dann wurde ich zur Vernehmung geholt.

Ein ungefähr fünfzigjähriger Mann in einem zu knappen Anzug wartete in einem verrauchten Kellerraum auf mich. Der Mann saß vor einem riesigen Honeckerbild. Am Revers seines altmodischen Anzugs trug er das SED-Parteiabzeichen. Dieser Vernehmer empfing mich mit den Worten: „Veranstalten Sie bloß nicht so einen Zirkus, sonst platzt hier der Mond!"

Da mußte ich erst einmal grinsen, weil ich wußte, daß Freddy ihn total gestreßt hatte. Manchmal hatte ich selbst Probleme, Freddy, obwohl er mein Freund war, zwölf Stunden hintereinander zu ertragen. Ich sagte: „Ohne Dampf kein Kampf." Da schmiß mir der Vernehmer seine Dienstzigaretten auf den Tisch. Er sah mich vollkommen ernst an: „Da haben Sie sich ja ein schönes Ding eingebrockt. Haben Sie sich schon einmal überlegt, daß Sie Ihre Familie in den Abgrund stürzen? Wie soll das mit Ihnen bloß weitergehen?" Er blätterte in meiner Strafakte, „Da wird einem ja schlecht, wo soll das bloß noch hinführen mit

6   In der Lichtenberger Parkaue. Ort des Freundschaftsfestes zu Ehren der
sowjetischen Streitkräfte. Hier wurde Ingo Hasselbach 1987 verhaftet. (Aufnahme
von 1992)

Ihnen? Für Typen wie euch haben wir uns unser Leben lang den
Arsch aufgerissen. Und nun das. Wenn ich den Meisel nur sehe,
wird mir schon schlecht."

„Was soll das, für diesen Vortrag habe ich jetzt zwölf Stunden
hier rumgesessen?" Ich sah ihn an.

„Glauben Sie, ich warte hier mit Rosen auf Sie?" brüllte er zurück.

Er stand auf, drehte sich zur Tür und sagte im Hinausgehen: „Sie
werden die volle Härte des Gesetzes zu spüren bekommen. Gott
sei Dank haben wir Mittel und Wege gegen Menschen wie Sie."

Ich grinste ihn an, und er brüllte: „Abführen!"

Frieder Meisel und ich wurden angeklagt und erhielten jeder eine
Gefängnisstrafe von einem Jahr.

Unser Anwalt hatte eine zehnmonatige Haftstrafe beantragt.
Freddy ist daraufhin völlig ausgeflippt. Er beschimpfte den Anwalt. Auch ich geriet in Wut und brüllte den Anwalt an, wofür er
denn eigentlich bezahlt werde.

„Seien Sie doch ruhig. Sie machen doch alles nur schlimmer."

Meine Mutter saß im Zuschauerraum. Nach der Urteilsverkündung heulte sie los.

In der Zelle des Mörders

Ich wurde zuerst einmal in den Knast in der Keibelstraße gebracht. Dort steckte man mich gleich in die Zelle eines Mörders. Der ungefähr fünfzigjährige Häftling hatte seine Frau zerhackt und die Körperteile dann in einem Koffer verpackt. Als ich ihn fragte, warum er seine Frau umgebracht habe, schaute er mich grinsend an: „Weil sie nicht gespurt hat." Er behielt die Leiche noch zwei Wochen in einem Koffer in seiner Wohnung. Als ich ihn fragte, warum er den Koffer mit der Leiche nicht gleich weggebracht habe, antwortete er: „Ich hatte keine Zeit dafür, außerdem kam meine Tochter zu Besuch." Er fing immer wieder damit an und sagte mir, obwohl ich es schon gar nicht mehr wissen wollte: „Die hat es nicht besser verdient." Dabei hatte seine Frau zwanzig Jahre auf ihn gewartet, denn mein Zellengenosse hatte schon einmal wegen Mordes gesessen. Sechs Monate nach der Begnadigung hatte er den Mord an der eigenen Frau begangen. Der Mann war zu einer lebenslangen Haftstrafe verurteilt worden.

Heinrich war sehr höflich. Morgens bestand er darauf, mir die Hand zu geben. Von allen Häftlingen, die ich später traf, war er der einzige, der stets im Anzug in der Zelle stand. Er erzählte mir alles über seine Familie. Dabei regte er sich regelmäßig über seine beiden Töchter auf. „Die Damen haben es nicht einmal mehr nötig, ihren alten Vater zu besuchen, obwohl ich mein Leben lang immer für sie da war. Ich würde so gern meine Enkelkinder kennenlernen."

Vier Tage und vier Nächte mußte ich mit diesem Mann in einer Zelle verbringen. Ich konnte in seiner Gegenwart nur sehr schlecht schlafen. Ich stellte mir vor, er könne mich mit seiner Frau verwechseln. Als ich endlich von der Keibelstraße nach Rummelsburg verlegt wurde, verabschiedete sich Heinrich wiederum sehr höflich von mir. Er gab mir die Hand: „Mach's gut, mein Junge, vielleicht sehen wir uns mal wieder, du weißt ja, die Welt ist ein Dorf."

Als der Wärter mich aus der Zelle holte, drehte ich mich noch einmal um, sah mir Heinrich genau an und dachte, der ist zwar

7   Ehemalige Haftanstalt Rummelsburg, Freihof. (Aufnahme von 1992)

ein Mörder, aber er ist doch eigentlich verrückt und gehört in ein
Irrenhaus zu anderen Irren. Die Polizisten mußten eine wahnsin-
nige Wut auf mich haben, daß sie mich, ich war neunzehn Jahre
alt und zum erstenmal im Gefängnis, ausgerechnet mit dem zu-
sammengesperrt hatten. Als der Wärter die Tür von außen verschlossen hatte, sagte ich: „Ich hoffe, daß wir uns in diesem
Leben nicht mehr begegnen werden. Die Chancen dafür stehen ja
Gott sei Dank auch nicht so schlecht."
Ich bezweifele, daß Du als mein Vater und großer Funktionär je
einem solchen Menschen wie diesem Doppelmörder begegnet
bist. Auch er gehört zu unserer Wirklichkeit, und der eine kennt
den und der andere eben den.

Einzelhaft

In Rummelsburg kam ich in die Zelle von Stefan. Dieser junge
Mann stammte vom Lande und saß wegen eines Sittlichkeitsde-
liktes. Nach mehrfachen Ansätzen berichtete er mir zögernd und

verlegen, daß er sich verschiedene Male an einer sozialistischen Produktionskuh vergangen habe. Dabei wurde er ertappt. Fast liebevoll erzählte er mir von seinem besonderen Verhältnis zu Tieren. In seiner Urteilsbegründung stand tatsächlich, daß die von ihm vergewaltigten Kühe danach weniger Milch gegeben hätten und somit eine Schädigung der Volkswirtschaft eingetreten sei. Dafür hatte Stefan ein Jahr Haft erhalten.

Einen Tag später wurde ich in Einzelhaft untergebracht. Man legte großen Wert darauf, daß politische „Straftäter" möglichst von den anderen Häftlingen isoliert wurden. Nachdem ich diese beiden ganz besonderen Typen kennengelernt hatte, man glaubte sicher, daß ich sie kaum „politisch negativ" würde beeinflussen können, war ich nun mit mir selbst allein. Ich befand mich eine Etage unter dem Keller. Es gab hier keine Geräusche mehr, außer wenn der Wärter morgens, mittags und abends das Essen brachte und den Tisch herunterschloß. Ich hatte jeden Tag zehn Minuten Freigang, in denen ich die Zelle verlassen durfte, um in einem fünfzehn Quadratmeter großen Hof, mit Handschellen gefesselt, spazierenzugehen. Wenn die Wärter keine Lust hatten, mit den in Isolationshaft befindlichen Häftlingen herumzulaufen, erzählten sie einfach, daß es regne.

So verbrachte ich viele Tage in meiner drei mal drei Meter großen Zelle damit, wie ein Tier im Kreis zu laufen. Ich versuchte vergeblich, mich abzulenken. Anfangs versuchte ich, durch Klopfen einen Kontakt zu anderen Häftlingen herzustellen. Die Wände waren aber für eine Verständigung viel zu dick. Erst nach meiner Entlassung aus der Haft habe ich erfahren, daß mein „Mittäter" und Freund Freddy direkt meiner Zelle gegenüber untergebracht war.

Nach ein paar Tagen Einzelhaft war ich dem Wahnsinn schon sehr nahe gekommen. Ich wollte durchdrehen, aber es ging nicht. Es interessierte niemanden, was ich machte, und niemand reagierte auf mein Verhalten. Über mehrere Tage hinweg konnte ich keinen klaren Gedanken mehr fassen. Schließlich war ich mit meinen Nerven so weit am Ende, daß ich in meiner Verzweiflung nur noch weinen konnte.

Irgendwann nach ein paar Tagen hatte ich diesen schrecklichen

8   In der ehemaligen Besucherzelle in Rummelsburg. (Aufnahme von 1992)

Zustand überwunden. Eines Morgens schob mir der Wärter wie jeden Tag das Frühstück durch die Luke. „Vielen Dank, Herr Obermeister, und einen wunderschönen guten Morgen, wie ist denn heute das werte Befinden?" Der Wärter wußte überhaupt nicht, wie er auf meinen übertrieben freundlichen Gruß reagieren sollte, war ich doch bisher völlig apathisch, deprimiert und nicht ansprechbar gewesen.

Ich befand mich also auf dem Wege der Besserung, obwohl es mir vorkam, als hätte ich alle Gefühle in mir abgetötet. Ich versank in eine absolute Gleichgültigkeit meiner Umwelt und mir selbst gegenüber – ich war nicht mehr angreifbar. Diese Gefühllosigkeit ist ein anderer schrecklicher Zustand, gegen den ich heute noch manchmal anzukämpfen habe.

Nach meinem täglichen Spaziergang im Hof, wenn der Wärter mich wieder zurück in meine Zelle brachte, sagte ich jedesmal zu ihm: „Und wieder schön zuschließen, lieber zweimal zuschließen, man weiß ja nie, sicher ist sicher." Ich grinste ihn an, weil ich gemerkt hatte, daß er sich darüber aufregte. Das war für mich jedesmal ein außerordentlich wichtiges Erlebnis: Ich hatte für Momente bewiesen, daß ich noch existierte.

27

9 Ehemalige Haftanstalt Rummelsburg. (Aufnahme von 1992)

Es war sehr wichtig, in Gegenwart der Wärter Stärke zu demonstrieren. Sie waren dann im täglichen Umgang mit dem Gefangenen meist vorsichtiger und zurückhaltender. Diese Veränderung im Verhalten der Wärter machte mir deutlich, daß ich etwas erreicht hatte.

Die meiste Zeit in der Isolationshaft verbrachte ich damit, die Ziegelsteine, die Gitterstäbe und die Niete an den Türen hinauf und herunter zu zählen. Gelegentlich machte ich Liegestütze und Kniebeugen, oder ich lief einfach hundertmal von einer Wand zur anderen. Wenn ich einen Anflug von Depression spürte, rüttelte ich wie ein Irrer an den Gitterstäben. Ich wollte nicht schreien, weil man mich sonst angekettet hätte.

Während der Isolationshaft bekam ich zum erstenmal Besuch von meiner Frau Christine. In ihren Briefen hatte sie mir geschrieben, daß sie auf jeden Fall, was immer auch käme, zu mir halten und auf mich warten würde. Auf ihren Besuch freute ich mich schon seit Tagen. Die Gewißheit, draußen wartet eine geliebte Frau auf mich, gab mir Kraft, die Einzelhaft durchzuhalten.

Um zwei Uhr nachmittags kam der Wärter und führte mich aus

28

10   Ingo Hasselbachs Zelle in der Haftanstalt Rummelsburg. (Aufnahme von 1992)

der Zelle zum Besuchertrakt. Ich zitterte am ganzen Leib und war aufgeregt wie ein kleines Kind vor Weihnachten. Eine Stunde später wurde ich dann in die Besucherkabine geführt. Christine wartete hinter der Trennwand schon auf mich. Sie trug ein weißes T-Shirt und kurze, abgeschnittene Jeans. Ich setzte mich hin und starrte sie an. Das einzige, was ich herausbrachte, war ein tonloses „Guten Tag". Dann schwiegen wir uns ein paar Minuten an. Irgendwann fing ich an zu reden, ich wußte, daß uns insgesamt nur fünfundzwanzig Minuten Sprechzeit blieben.

„Was ist los, wie geht's dir?"

Mir wahrscheinlich besser als dir. Es ist schönes Wetter draußen."

Ich sah in ihr braungebranntes Gesicht. „Das kann ich nicht so beurteilen."

„Das sieht man dir an." Christine versuchte, mich mit ihrer Ironie aufzumuntern.

Ich saß kreidebleich und abgemagert vor ihr und wußte nicht, was ich sagen sollte.

Christine änderte ihren Ton, der nun irgendwie geschäftsmäßig klang, es gäbe da das eine oder andere Problem, das besprochen werden müsse.

Ich bekam sofort Magenschmerzen und sah ihr aufgeregt in die Augen.

Sie wich meinem Blick aus, und zögernd brachte sie heraus, daß sie da jemanden kennengelernt habe, bei dem sie jetzt auch wohne.

Ich fragte mich, ob das Ganze nur ein böser Traum sei. Ich glaubte einfach nicht, daß mir das passieren konnte. Dann wurde ich hellwach und dachte, daß sie wirklich Glück hat, jetzt hinter dieser Glasscheibe zu sitzen. Christine sah mir zum erstenmal in die Augen und merkte, was in mir vorging. Ich nahm meine Hände hoch, so daß sie meine Handschellen sah, und wiederholte den letzten ihrer Sätze: „Ich hab da jemanden kennengelernt, bei dem wohne ich jetzt auch." Der Wärter, der neben mir saß und alles mitschrieb, sah hoch und legte seine Hand auf mein Knie. Ich sah den Wärter an und sagte zu ihm: „Ich möchte, daß wir das hier beenden, weil es sonst passieren könnte, daß ich sonst irgendwie durchlade. Führen Sie mich bitte ab." Der Wärter sah mich an und nickte. Im Rausgehen drehte ich mich noch einmal um und warf meiner Frau einen verachtenden Blick zu. Christine sah mich groß an und begann hemmungslos zu weinen.

Der Wärter brachte mich zurück in meine Zelle. Normalerweise kam man in Rummelsburg, nachdem man Besuch gehabt hatte, zuerst in eine Sammelzelle, von der aus man gemeinsam mit den anderen Gefangenen in seine eigene Zelle gebracht wurde. Der Wärter hatte gemerkt, was mit mir los war, und ersparte mir das Zusammensein mit anderen Gefangenen. Als wir am Sammelraum vorbeiliefen, hörte ich, daß viele der Gefangenen offenbar mehr Spaß beim Besuch durch ihre Verwandten gehabt hatten. Der Wärter, den die Häftlinge den „Gemütlichen" nannten, brachte mich zum Eingang des Isolationstraktes, wo mich der Arrestschließer wieder übernahm. Der begrüßte mich: „Na, Hasselbach, zurück vom Ausflug?" Ich sah ihn mit zornigem Blick an und konnte mich kaum beherrschen: „Erstens nehmen Sie mir mal ganz schnell die verdammten Handschellen ab und zweitens, wenn ich Ihnen einen Tip geben darf, gehen Sie mir heute lieber aus dem Weg, sonst könnte es passieren, daß hier der Mond platzt."

„Wern'se mal nicht frech", mault der Wärter, beeilte sich aber, mich in die Zelle zu bringen. Warum war mir gerade der verdammte Satz des Vernehmers aus der Keibelstraße eingefallen? In meiner Zelle dachte ich, daß ich jetzt eigentlich nur noch einen Strick brauchte, um diese Geschichte ein für allemal zu beenden. Nun war alles passiert, was überhaupt passieren konnte. Schlimmer konnte es nicht mehr werden. Ich fing an, völlig unmotiviert fröhliche Lieder zu pfeifen und stundenlang irgendwelche Selbstgespräche zu führen.

Nach vier Wochen wurde ich aus der Einzelhaft entlassen und auf die Station der Hausarbeiter verlegt. Inzwischen war ich total abgemagert und unterernährt.

Zementkrätze in Rüdersdorf

Ich wurde gleich zum Kübelträger ernannt und war nun für die Verpflegung der Untersuchungshäftlinge zuständig. Die folgenden zwei Monate waren nach meiner Isolationshaft die reinste Erholung. Im August 1987 wurde ich in die Haftanstalt Rüdersdorf bei Berlin verlegt.

In Rüdersdorf mußte ich zusammen mit ungefähr zweihundert anderen Gefangenen im Zementwerk arbeiten. Wir wurden dabei von Posten bewacht, die um uns herum eine Kette bildeten. Nach ein paar Wochen bekam ich die sogenannte Zementkrätze, meine Haut war mit Pickeln übersät. Dort gab es keinerlei Möglichkeiten, diese Allergie wirksam zu behandeln. Der Arzt in der Haftanstalt riet mir: „Sie brauchen viel Sonne und Strandluft." Er grinste mich ziemlich dämlich an.

Zusammen mit acht weiteren Gefangenen mußte ich als politischer Häftling regelmäßig an ideologischen Schulungen teilnehmen, um die „Vorzüge des Sozialismus" endlich zu begreifen. Zu Erich Honeckers fünfundsiebzigstem Geburtstag und dessen bevorstehender Reise in die Bundesrepublik sollte ich einen Vortrag

11   Im Tagebau Rüdersdorf. (Aufnahme von 1992)

ausarbeiten. Ich schrieb Honecker einen Brief, in dem ich ihm auf
das herzlichste zum Geburtstag gratulierte und die umfassenden
Errungenschaften des Sozialismus ganz besonders hervorhob.
Außerdem schlug ich ihm vor, auf seiner BRD-Reise endlich ein
paar Erleichterungen für das Wohl des Volkes zu beschließen, wie
Reisefreiheit, Meinungsfreiheit, Abschaffung der Bespitzelung
durch die Stasi und die Freiheit, ein eigenes Unternehmen zu
gründen. Ich unterschrieb den Brief: „Mit den besten Grüßen. Ihre
Strafgefangenen aus der Strafvollzugseinrichtung Rüdersdorf."
Kaum hatte ich den Brief beim Erzieher in den Briefkasten gewor-
fen, wurde ich zu ihm gerufen. Es folgte eine gewaltige Stand-
pauke, und ich mußte nicht mehr am politischen Unterricht teil-
nehmen.
Der Tagesablauf in Rüdersdorf war sehr monoton. Um halb drei
Uhr morgens wurden wir geweckt, und eine Stunde später war
Zählung der Gefangenen. Um vier Uhr fuhren wir zur Arbeit.
Nachmittags um drei Uhr wurden wir zurück ins Lager gebracht.
Danach mußten wir bis sechs Uhr kleinere Aufräumarbeiten erle-
digen. Um sieben Uhr abends war wieder Zählung, und dann
begann die Nachtruhe. Sich diesem völlig veränderten Lebens-

rhythmus ohne Abende anzupassen, fiel allen Gefangenen sehr schwer.

Über einen eigenen Namen verfügte keiner mehr von uns. Ich mußte mich daran gewöhnen, die Nummer 430064 zu sein. Freundschaften gab es im Knast nicht, und in meiner Neun-Mann-Zelle wollte einer den anderen nur ausnutzen. Ich zeigte den anderen Gefangenen keinerlei Gefühle oder die geringsten Schwächen, denn ich konnte niemandem trauen und hatte es mehrere Male erlebt, wie jüngere Häftlinge, nachdem sie Älteren ihr Leid offenbart hatten, anschließend von denen sexuell mißbraucht wurden. Jeder war sich selbst der Nächste und mußte sich jeden Tag im Knast neu bewähren.

Ich glaube, daß diese Eigenschaften, im Knast angeeignet, für das spätere Leben in der Neonaziszene geradezu ideal sind. Für viele junge Menschen ist der Knast nicht nur ein fruchtbarer Boden für die Aufnahme des Gedankenguts der Nazis, das ihnen durch ältere Mitgefangene übermittelt wird, er ist auch eine Art Charakterschule, welche auf die Existenz in einer Gemeinschaft ohne Skrupel vorbereitet.

Du, Hans, bist nicht nur mein leiblicher Vater, Du warst auch ein höherer Funktionär und sehr viel mit dem Denken der Leute beschäftigt, wie man sie überzeugen und im sozialistischen Sinne beeinflussen könnte. Der anwachsende Rechtsradikalismus in den letzten Jahren der DDR kann Dir nicht verborgen geblieben sein. Ich frage mich, ob Ihr in Eurer Partei zum Beispiel auch mal über solche Zusammenhänge von Knast und Neonazis nachgedacht habt. Oder war das nicht Euer Problem, habt Ihr Euch selbst beruhigt und alles den dafür Verantwortlichen überlassen, „die es schon machen würden"?

Wieder in Freiheit, was nun?

Nach achtmonatiger Haftzeit wurde ich am 19. Oktober 1987 aus Rüdersdorf nach Hause entlassen. Was war mein Zuhause? Meine Frau Christine wohnte noch immer bei ihrem neuen Freund, also ging ich noch am gleichen Tag zu meiner Mutter.

Dort aß ich zu Mittag und badete anschließend. Am Nachmittag mußte ich zur Polizei, um mich anzumelden. Auf der Polizeiwache traf ich Freddy, der am selben Tag entlassen worden war. Wir gingen sofort ein paar Bier trinken, und noch am Abend nahm uns die Polizei auf einem U-Bahnhof fest. Wir wurden in eine Ausnüchterungszelle gebracht, in der wir die ganze Nacht zubringen mußten. Am nächsten Morgen ließ man uns wieder laufen. Die folgenden Tage verbrachten wir bei einem Bekannten, der zu dieser Zeit bereits von der Stasi gesucht wurde. Er war einer von den Rädelsführern der Skinheads beim Überfall auf die Besucher der Zionskirche am 17. Oktober 1987 gewesen. Dort hatte die Polizei zugesehen, wie ein Trupp von zwanzig Glatzen auf Bürgerrechtler und junge Leute der Kirche von unten, Besucher eines Punkkonzerts, einschlug. Dabei war Blut geflossen, und es gab mehrere Schwerverletzte. Ein Pfarrer erlitt einen Schädelbasisbruch. Nun griff die Stasi „hart durch". Alle Beteiligten erhielten langjährige Haftstrafen, und die Zeitungen der DDR berichteten täglich über den ersten Skinheadprozeß in Ostberlin. Viele der an diesem Überfall Beteiligten sah ich kaum zwei Jahre später in der Weitlingstraße wieder.

Nach ein paar Tagen wurde unser Gastgeber von der Stasi verhaftet, Freddy und ich gleich mit. Es stellte sich allerdings schnell heraus, daß wir beide für den 17. Oktober das perfekteste Alibi hatten: Wir waren an diesem Tag noch im Knast gewesen. Die Stasi ließ uns für diesmal laufen.

In der gleichen Woche meldete ich mich bei meinem alten Betrieb zurück und fing wieder an zu arbeiten. Mein Schwiegervater, der auch in diesem Betrieb arbeitete, brachte mich mit meiner Frau in Kontakt. Er besorgte uns eine neue Wohnung, und wir unternahmen einen neuen Versuch, unsere Ehe zu retten.

Freddy war inzwischen wieder in seinem Lieblingsknast in Rummelsburg: Er hatte vergessen, sich polizeilich anzumelden und es versäumt, an seinem Arbeitsplatz zu erscheinen. Auch ihm war der Paragraph 48 ausgesprochen worden, was die Verhängung staatlicher Kontrollmaßnahmen über ihn bedeutete. Der Paragraph bestand aus sechs Bestimmungen:

1. Meldepflicht beim Abschnittsbevollmächtigten der Deutschen Volkspolizei (zweimal wöchentlich)
2. Arbeitsplatzbindung
3. Zuweisung des Arbeitslohnes in regelmäßigen Teilbeträgen (Man mußte sein Geld wöchentlich bei einer staatlichen Stelle abholen)
4. Aushändigung eines Zweitschlüssels zur eigenen Wohnung an den Abschnittsbevollmächtigten
5. Anmeldung jeglichen privaten Besuchers bei der Polizei
6. Ableistung von gemeinnütziger Freizeitarbeit nach dem Ermessen der Polizei

Allgemein galt der Paragraph 48 als eine sichere Rückfahrkarte in den Knast. Frieder Meisel wurde nur eine Woche nach seiner Entlassung aus der Haft erneut zu einer einjährigen Freiheitsstrafe verurteilt. Ich besuchte meinen alten Freund in den folgenden Monaten mehrmals in Rummelsburg.

Während Freddy im Knast saß, führte ich ein ganz normales Leben. Ich ging regelmäßig zur Arbeit und lebte mit meiner Frau zusammen, jedoch gingen wir beide mehr oder weniger getrennte Wege. Im Sommer 1988 fuhren wir gemeinsam an die Ostsee. Es sollte ein letzter Versuch sein, unsere Ehe zu retten. Er mißlang. Noch im Urlaub lernte ich eine andere Frau kennen. Christine fuhr allein nach Berlin zurück, und ich lebte noch eine Zeitlang mit der anderen zusammen. Unmittelbar nach meinem Urlaub reichte ich die Scheidung ein.

Am Tage meines Scheidungstermins, ein paar Wochen später, traf ich auf dem Gericht niemand anderen als Frieder Meisel, der mich wie ein Schatten zu verfolgen schien. Er war gerade etwas vorfristig aus dem Gefängnis entlassen worden und meldete sich diesmal polizeilich zurück.

Nach dem Scheidungsspruch drängte mich Freddy zu einem obligatorischen Glas Bier. Ich ging für eine Stunde mit ihm in eine Kneipe, wir verabredeten uns für das Wochenende miteinander und gingen auseinander.

Ein paar Stunden später begegnete mir Freddys Freundin Mareike auf der Straße. Sie hatte ein blaues Auge. Ich fragte sie:

„Ach, Freddy hat sich schon bei dir gemeldet?"

12 Nach der Gefängniszeit.
1988

Sie schaute mich entsetzt an: „Du hast doch einen Schuß."

Ich grinste sie an: „Das hast du dir sicherlich verdient."

Sie grinste zurück: „Du weißt ganz genau, warum ich ein blaues Auge habe."

Ich lachte und ging weiter. Wir beide wußten, daß ich der Grund für Mareikes blaues Auge war. Ich hatte Freddy in der Kneipe gebeichtet, während seiner Haft ein paarmal mit seiner Freundin geschlafen zu haben. Freddy nahm mir das nicht weiter übel: „Besser du als irgend so ein Typ, den ich nicht kenne." Freddy hatte alle seine Sachen in Mareikes Wohnung und betrachtete sie allein deshalb als seine Freundin, die für jedes Fremdgehen Prügel bekommen muß. Er selbst ging regelmäßig mit den verschiedensten Frauen ins Bett.

Einige Wochen später wurde Freddy erneut inhaftiert. Er war in eine Schlägerei verwickelt gewesen und hatte auch wieder mal gegen den Paragraphen 48 verstoßen. Das Gericht verurteilte ihn zu vier Jahren und acht Monaten Haft sowie anschließendem dreijährigem Berlin-Verbot. Er sollte die drei Jahre nach der Haft auf der Insel Hiddensee verbringen. Bei der Urteilsverkündung pöbelte er den Staatsanwalt an und beschimpfte den Richter. Danach riß mein direkter Kontakt zu Frieder Meisel für lange Zeit ab, und es kursierten die widersprüchlichsten Meldungen über ihn. Es wurde bekannt, daß der eine oder andere nicht lebend aus den Gefängnissen Brandenburg und Waldheim herausgekommen war. Eines Tages hörte ich, daß auch Freddy im Knast umgekommen sei. Diese Nachricht verschärfte meinen Haß auf den Staat DDR bis zum Extrem.

Freddy, mein ältester Freund

Freddy ist Fliesenleger von Beruf und bis heute noch nicht verheiratet. Er hat sich an seinem Körper inzwischen mindestens zweihundert Tätowierungen anbringen lassen, davon stellen ungefähr einhundertfünfzig das Hakenkreuz in den verschiedenen Versionen dar. Auf der rechten Schulter trägt er ein großes D für Deutschland.

Als ich Freddy in der siebenten Klasse kennenlernte, wohnte er in einem Neubauviertel südlich der Frankfurter Allee. In diesen Plattenbauten wohnten damals sehr viele Stasileute.

Die Lehrer haben Freddy schon frühzeitig aufgegeben. Im Unterricht war er meist völlig gelangweilt und maulte nur herum, wenn ihn ein Lehrer gelegentlich ansprach. Ich erinnere mich, daß der Sportlehrer glaubte, Freddy vielleicht doch noch einmal zur Mitarbeit bringen zu können, indem er ihn aufforderte, seine Sportsachen wieder mitzubringen. Freddy erhob daraufhin seine Hand zum Hitlergruß und schrie: „Jawoll, Herr Obersturmbannführer!"

Die Stasi hatte schon sehr früh ein Auge auf Freddy geworfen, und schon 1979, als Vierzehnjähriger, galt er als „ein potentieller Störer des sozialistischen Zusammenlebens". Als ich mit den ersten Sprühaktionen begann, war Freddy dabei. In der Nähe des Strausberger Platzes sprühten wir Anarchiezeichen an Häuserwände. Später sprühten wir neben das Anarchiezeichen auch Hakenkreuze. Wir wußten damals weder genau, was das Hakenkreuz eigentlich bedeutete, noch konnten wir seine Wirkung einschätzen. Unsere Zeichen verschwanden immer sofort wieder von den Wänden.

Beide trugen wir damals einen Irokesenschnitt. Jeden Dienstag holte der zuständige Abschnittsbevollmächtigte (ABV) der Deutschen Volkspolizei einen von uns Punks zu sich. Jeder Wohnbezirk hatte einen ABV. Freddy wurde regelmäßig ins Büro des ABV bestellt. Einmal versuchte der ABV, Freddys Irokesenschnitt abzuschneiden. Ich sah durch ein Fenster, wie der Polizist mit einer Schere in der Hand hinter Freddy herlief, um den Schreibtisch herum. Freddy beendete das eher komische Spiel, indem er einen in Reichweite liegenden Gummiknüppel ergriff und ihn dem ABV auf den Schädel schlug. Der Polizist sank sofort zu Boden. Der vierzehnjährige Freddy Meisel erhielt dafür seine erste Jugendhaftstrafe. Er mußte für drei Monate ins Gefängnis.

Nachdem Freddy von der Schule geflogen war, verweigerte er nahezu regelmäßig die Arbeit. Er erschien nur selten an dem ihm zugewiesenen Arbeitsplatz und war der Ansicht, das Geld, das man verdienen könne, nutze sowieso nichts, man könne sich ja eh nichts dafür kaufen. Freddy wurde erneut angeklagt, diesmal wegen Arbeitsbummelei. Der Richter fragte ihn vor der Urteilsverkündung, ob er noch etwas sagen wolle. Frieder Meisel stand auf und sagte: „Ich beantrage die Todesstrafe für mich." Er wurde zu einem Jahr Gefängnis verurteilt.

Diese Haft war der Anfang von Freddys langer „Knastkarriere", er verbrachte fast seine ganze Jugend in den Gefängnissen der DDR.

Bei einem seiner vielen Aufenthalte in Rummelsburg sollte Freddy das Amt des Kübelträgers übernehmen. Dieser Job war bei den Häftlingen äußerst begehrt. Der Kübelträger war für die Verpflegung der Häftlinge verantwortlich. Dieses Privileg garantierte bestes Essen, bot die Möglichkeit, sich täglich zu waschen sowie einmal monatlich ins anstaltseigene Kino zu gehen. In Erwartung von Freddys freudiger Zustimmung verkündete der Erzieher – Freddy war in Jugendhaft – die Nachricht von dieser Beförderung. Freddy sah den Erzieher schweigend an und schrie nach kurzer Zeit: „Ein deutscher Offizier trägt keine Kübel!" Er ergriff den mit Suppe gefüllten Eimer und stülpte ihn dem vor ihm stehenden Mann über den Kopf.

In einem anderen Gefängnis machte Freddy auf ganz andere Art auf sich aufmerksam. Er reichte beim Gefängnisdirektor einen Vorschlag zur Bedienung der Wachtürme ein, ein Konzept, nach dem man die Wachtürme hydraulisch bedienen und die Häftlinge besser beobachten könnte. Der Gefängnisdirektor ordnete an, Frieder Meisel in Zukunft noch strenger zu überwachen.

Später wurde Freddy nach Brandenburg verlegt, vielleicht der härteste Knast in der DDR. Dort lebte er ausschließlich unter Mördern und anderen Schwerverbrechern. Während seiner vierjährigen Haftzeit in Brandenburg lernte er mehrere alte Naziverbrecher kennen, zum Beispiel den Henker von Oradour und den ehemaligen Gestapochef von Dresden, der in der Werkzeugausgabe beschäftigt war. Der Gestapochef war lange Jahre in der DDR unerkannt geblieben und hatte es in der SED sogar zu einer höheren Parteifunktion gebracht.

Der 20. April war in diesem Knast immer ein ganz besonderer Tag. An diesem Tag, dem Geburtstag Adolf Hitlers, malten die alten Nazis Hakenkreuze auf Klopapierstreifen, die sie sich dann als Armbinden überstreiften. Einige Strafgefangene saßen in Rollstühlen, auch sie erschienen zu einer makabren Zeremonie. Viele Naziverbrecher wußten gar nicht mehr, wie lange sie schon in diesem Knast saßen.

Kurz nach dem Mauerfall sah ich Freddy riesig groß in einer Illustrierten abgebildet. Er hielt ein Schild „Gefangener des Sozialismus" in der Hand. Ich freute mich wie ein Kind, meinen alten Freund wiederzusehen.

Ein paar Tage später wurde Freddy aus dem Gefängnis entlassen und kam sofort in unser Haus in der Weitlingstraße 122 in Lichtenberg. Ein westdeutscher Skin wollte ihn nicht hereinlassen, er wußte nicht, wer da vor ihm stand. Freddy verpaßte ihm einen Schlag und schob ihn zurück. Dann lief er die Treppe hoch und schrie: „Eh, Hasselbach, wo steckst du denn?" Wir begrüßten uns und gingen sofort in eine Kneipe, um uns vollaufen zu lassen. Nach zwei Tagen hatte man den Eindruck, daß Freddy nie woanders als in unserem Haus gewohnt habe.

Nach ein paar Tagen besuchte Freddy seine Mutter, die er während der letzten vier Jahre nicht mehr gesehen hatte. Wegen seiner vielen Tätowierungen erkannte sie ihn kaum mehr wieder.

Frau Meisel gehörte einem Komitee an, das sich vor allem für die politischen Gefangenen in der DDR eingesetzt hatte. Sie war dort sehr engagiert. Sie starb eine Woche nach der Entlassung ihres Sohnes aus dem Gefängnis völlig unerwartet. Seinen Vater hatte Freddy nie gekannt, und auch andere Familienangehörige gab es nicht.

Im Sommer 1990 mußte Freddy für zwei Wochen ins Krankenhaus. An den Grund dafür kann ich mich heute nicht mehr erinnern. Der Wiener Neonazi Gottfried Küssel und ich besuchten ihn dort. Als wir sein Krankenzimmer betraten, war eine seiner alten Freundinnen gerade dabei, ihn oral zu befriedigen. Unser Kommen schien die beiden in keiner Weise zu stören. Küssel lief völlig verstört zum Fenster und schaute angestrengt auf die Straße. Das Mädchen setzte kurz ab und sah mich an: „Tag, Hasselbach." Dann drehte sie sich sofort wieder um und machte weiter. Eine Krankenschwester verirrte sich ins Zimmer. Freddy brüllte sofort los: „Tür zu und raus!" Die verängstigte Krankenschwester gehorchte prompt. Nach ein paar Minuten fragte ich zögernd: „Könnt ihr nicht mal langsam... Ich meine..."

„Wir wollen hier mal nichts überstürzen", entgegnete Freddy bestimmt, während Küssel immer noch verlegen auf die Straße blickte.

Zuletzt, vor vielleicht einem halben Jahr, sah ich Freddy in einer Kneipe. Er sagte zu mir: „Ich habe mich jetzt in Hoyerswerda angemeldet, das ist wesentlich besser dort."

„Wieso?" fragte ich erstaunt.

„Melde dich doch auch dort an, dann kommen wir das nächste Mal nämlich nach Bautzen. Dort geht es uns gut, Hasselbach!"

„Ich habe eigentlich nicht vor, noch mal in den Knast zu gehen."

„Ach komm, Hasselbach, wir gehen alle wieder in den Knast."

Das ist die Geschichte meines ältesten Freundes Frieder Meisel, genannt Freddy. Den hast Du nicht gekannt, Hans. Und auch meine anderen Freunde nicht.

Mike Prötzke, genannt „Göring"

Ich ging nach meiner Scheidung jeden Abend in die Lichtenberger Gaststätte FAS. Die meisten Ostberliner Skinheads gingen dort ein und aus, und ich lernte viele jener Leute kennen, die zur rechten Szene zählten. Einer von ihnen war der damals siebzehnjährige Mike Prötzke, den seine Freunde Göring nannten, so fett und aufgeschwemmt war er. Göring war trotz seiner Jugend bereits ein überzeugter Nationalsozialist. Ich erinnere mich seines Kommentars, als die Mauer gefallen war: „Wir sollten versuchen, in der DDR den Nationalsozialismus zu etablieren, die Bundesrepublik kann man getrost an die Juden verschenken."

Göring wurde ein richtiger neuer Freund. Er bot mir an, bei ihm und seiner Mutter zu wohnen. Da ich nach meiner Scheidung keine Bleibe mehr hatte, nahm ich Görings Angebot dankbar an.

Görings Eltern hatten sich frühzeitig getrennt, Mike wuchs als verwöhntes Einzelkind bei seiner Mutter auf. Genau wie ich war er zunächst Punk, dann Skin, ehe er zum überzeugten Neonazi wurde. Sein Großvater hat in der SS oder in der Wehrmacht eine bedeutende Rolle gespielt, er galt für Mike immer als Vorbild.

Schon in der Schule fiel Mike durch seine positive Einstellung zum Nationalsozialismus auf. Er wurde deswegen bei „Fahnenappellen" immer wieder gerügt oder mit einem Tadel bestraft.

1988 wurde er erstmals wegen öffentlicher Herabwürdigung verurteilt. Er hatte eine Postkarte verschickt, auf der als Absender stand: „Reichshauptstadt Berlin". Der Urteilsspruch lautete: Ein Jahr Bewährung, auf zehn Monate angedroht.

Nach einigen Monaten intensiver ideologischer Aufbauarbeit gründete ich zusammen mit ihm die „Bewegung 30. Januar". Die Kameradschaft hatte sieben Mitglieder, unter ihnen der spätere Erste Vorsitzende der „Nationalen Alternative", Frank Lutz. Wir hielten damals vor allem nationalsozialistische Schulungen ab, lasen verbotene Bücher aus der Nazizeit, sahen illegal besorgte Videos und machten Zukunftspläne.

Im März 1989 wurde unsere Kameradschaft von der Staatssicherheit gesprengt. Mehrere Wohnungen waren verwanzt und daraufhin Ermittlungsverfahren eingeleitet worden. Gegen Frank Lutz und Mike Prötzke wurden Haftbefehle erlassen. Frank Lutz erhielt aufgrund seiner Vorstrafen eine Freiheitsstrafe von über zwei Jahren. Göring erhielt wegen Besitzes eines vollkommen unbrauchbaren Maschinengewehrs eine Strafe von fast drei Jahren Haft. Zehn Monate dieser Strafe saß er in der Jugendhaftanstalt Ichtershausen in Thüringen ab. Im Dezember 1989, nach der Wende, wurde er begnadigt.

Mike Prötzke, Mitbegründer der „Nationalen Alternative", war später einer der ersten und radikalsten von denen, die sich von Michael Kühnen wegen dessen Homosexualität getrennt haben. Prötzke gilt heute innerhalb der Neonaziszene als strenger Verfechter jenes Flügels, der sich vor allem an Ernst Röhm und Gregor Strasser orientiert.

Bei der Hausdurchsuchung in Görings Wohnung fand die Stasi ein Foto, auf dem ich zu sehen war, wie ich mit ausgestrecktem Arm den Hitlergruß imitiere. Ich erhielt daraufhin eine Bewährungsstrafe von zehn Monaten und den Paragraphen 48.

Ich wohnte auch weiterhin bei Görings Mutter. Im Sommer 1989 lud mich Frau Prötzke zu einem Urlaub an die Ostsee ein. Dort kamen wir uns auf so eine intensive Weise näher, daß mich dieses Verhältnis nach einigen Wochen, wir waren wieder in Berlin, zu sehr belastete, sie war schließlich die Mutter meines besten Freundes. Ich zog dort aus.

Raus aus der DDR und gleich wieder zurück

Ende August 1989 entschloß ich mich spontan und ohne lange zu überlegen, wie sehr viele junge Leute in meinem Alter, die DDR zu verlassen. Diese Massenflucht wurde später zu einer der unmittelbaren Hauptursachen für das schnelle Ende des Staates DDR.

Ob Du zu der Zeit schon etwas ahntest von diesem Ende, oder ob Du noch immer daran glaubtest, die DDR würde weiterexistieren noch für Jahrhunderte? Ich hatte fast vergessen, daß es Dich überhaupt gab.

Zwar hatte ich irgendwann einen Ausreiseantrag gestellt, aber der wurde seit drei Jahren nicht mehr bearbeitet. Auf dem Bahnhof Lichtenberg stieg ich erst einmal in einen Zug, der mich nach Dresden bringen sollte, um von dort aus weiter nach Prag oder Budapest zu gelangen. Auf dem Dresdner Hauptbahnhof angekommen, wurde ich sofort von einer Polizeistreife kontrolliert. Ich besaß damals nur einen sogenannten PM 12, auf dessen Vorderseite vermerkt stand: „Dokument für eingezogenen Personalausweis." Mit diesem PM 12 durfte ich überhaupt nicht aus Berlin raus. Der Polizist betrachtete sich diesen Ersatzausweis: „Sie wollen ja wohl offensichtlich die DDR illegal verlassen."

Ich bestätigte ihm seine Vermutung, weil ich glaubte, es sei jetzt besser, alles auf eine Karte zu setzen. Vielleicht würde man mich nun endgültig in den Westen abschieben. Aber zunächst brachte man mich in die Dresdner Untersuchungshaftanstalt, und nach zweitägiger Vernehmung erhielt ich einen Haftbefehl wegen des Versuchs, illegal die Grenze zu übertreten. Nach vierzehn Tagen Untersuchungshaft in Dresden wurde ich über Bautzen und Cottbus nach Rummelsburg transportiert.

Inzwischen war der 7. Oktober 1989, der vierzigste Jahrestag der Gründung der DDR, „gefeiert" worden.

13 Weitlingstraße 122. Mai 1990

Nach den Ostberliner Krawallen in dieser Nacht wurden Bürgerrechtler in die Haftanstalt Rummelsburg gebracht und dort von Stasileuten brutal und ohne Grund zusammengeschlagen. Ich beobachtete zusammen mit anderen Häftlingen von den Fenstern aus diese völlig einseitige Auseinandersetzung. Plötzlich begannen die Häftlinge das Deutschlandlied zu singen, und die Zusammengeschlagenen auf dem Hof stimmten ein. Die Stasileute hörten auf zu prügeln. Das war für alle ein ungeheurer Moment. Brüllende Wärter liefen durch den Knast und versuchten erfolglos, die Häftlinge ruhigzustellen. Wir sangen und sangen und fanden kein Ende.

Ein paar Wochen später, am 30. Oktober, wurde ich aus der Haftanstalt entlassen. Honecker war abgesetzt worden, und sein Nachfolger Krenz hatte eine Amnestie für inhaftierte Republikflüchtlinge erlassen.

Ein paar Tage später, am 6. November, gelang es mir, mit Hilfe des geliehenen Reisepasses meines Bruders Jens, doch noch über die Tschechoslowakei in die Bundesrepublik zu fliehen. Als ich „drüben" war, konnte ich nur heulen. Endlich war es mir gelungen, dem „Knast" DDR zu entkommen. Als dann drei Tage später die Mauer fiel, hatte sich meine Euphorie verflüchtigt. Das beinahe Unmögliche war mir gelungen – und drei Tage später hätte ich alles auch legal tun können. Aber ich denke nicht, daß ich es dann noch gewollt hätte.

Nach dem Fall der Mauer ging alles plötzlich recht schnell. Durch die jahrelangen Inhaftierungen einzelner Leute und deren überraschende Freilassung konnte gewissermaßen über Nacht eine gewaltbereite rechte Szene in Ostdeutschland entstehen, die in der Lage war, völlig ungewohnte Freiräume zu nutzen. Waren vorher Rechtsradikale und Skinheads auf das schärfste bekämpft worden, so gab es nunmehr sogar die Möglichkeit, legale Parteiarbeit zu betreiben.

Im Januar 1990 traf ich mich zum erstenmal mit einer größeren Gruppe einschlägig bekannter Neonazis aus Westdeutschland. Michael Kühnen, mit dem ich schon vorher in Hamburg gesprochen hatte, Christian Worch und Nero Reisz kamen zum ersten Westberliner Treffen. Am gleichen Tag, kurz vor dem Treffen, war ich noch mit einem Bekannten zusammen. „Bist du schon aufgeregt?" fragte er mich.

„Nein, warum?"

„Na, heute kommt doch der Führer nach Berlin!"

Der „Führer", das war selbstverständlich Michael Kühnen, zu dieser Zeit von allen respektiert. Die meisten von uns kannten ihn bereits aus Zeitungsberichten.

Bei diesem ersten Treffen wurde uns erklärt, auf welches große Ziel wir alle gemeinsam hinarbeiten würden. Dieses Ziel hieß: Wiederzulassung der NSDAP als in Deutschland wählbare Partei. Ein paar Wochen später war die erste ultrarechte Partei der DDR im Parteienregister erfaßt. Mit einem allerdings noch gemäßigten Programm wurde die „Nationale Alternative" registriert. Damit konnte diese Partei an Wahlen teilnehmen. Die NA hatte am Tage ihrer Gründung ganze sieben Mitglieder. Satzung und Programm waren komplett von der Hamburger „Nationalen Liste" abgeschrieben worden.

Der führende nationale Sozialist von Hamburg, Christian Worch, ermunterte mich, in Berlin ein Haus zu besetzen. Wir zogen illegal für kurze Zeit in Lichtenberg in ein Haus ein, das wir allerdings gleich wieder räumen mußten. Es handelte sich um ein historisches Gebäude, das unter Denkmalschutz stand. Die Wohnungsgesellschaft schlug uns aber bereitwillig zwölf andere Objekte zum Tausch vor, von denen wir uns eins auswählen konnten. Ich entschied mich für die Weitlingstraße 122. Das Gebäude war für unsere Zwecke groß genug, es war in gutem, bewohnbarem Zustand, seine Bausubstanz war hervorragend, und vor allem: es lag an strategisch ausgezeichneter Stelle und ließ sich gut verteidigen. Das Haus wurde sofort zur zentralen Anlaufstelle für alle Skinheads aus ganz Berlin. Es war bald in ganz Deutschland medienbekannt, und wir bekamen Zulauf aus der gesamten Bundesrepublik.

Vorsitzender der „Nationalen Alternative"

Journalisten aus aller Welt wollten plötzlich Berichte über das Haus in der Weitlingstraße machen, und ich gab Tag für Tag bis zu vier Interviews. Diese Interviews wurden immer honoriert. Die Tarife für solche Interviews lagen zwischen zweihundert und eintausend D-Mark. Eine bestimmte Menge des eingenommenen Geldes floß in die Parteikasse der „Nationalen Alternative", wieviel, lag in meinem Ermessen. Zu jener Zeit hatte ich soviel Geld wie nie zuvor in meinem Leben, konnte mir kaufen, was ich wollte, und mußte natürlich nicht mehr arbeiten gehen.
Meine „Arbeit" bestand jetzt darin, mich als Parteivorsitzender für die Ziele und die Belange meiner Partei einzusetzen. In den folgenden Monaten hatten wir einen ungeheuren Zulauf an neuen Mitgliedern, so daß wir schnell zu einer der mitgliederstärksten rechtsradikalen Parteien in ganz Deutschland wurden. Es kamen natürlich überwiegend Jugendliche und junge Männer in die Weitlingstraße, aber bald besuchten uns auch die ersten älteren Leute, um uns mit Propagandamaterial aus dem Dritten Reich zu versorgen, das sie zu Hause aufgehoben hatten. So kam zum

14   Ingo Hasselbach vor einem Wahlplakat in Berlin-Lichtenberg

Beispiel der Vater eines bekannten Rechtsradikalen, der in der DDR eine staatliche Transportfirma leitete. Mit ihm hatten wir angeregte Gespräche.

Innerhalb kürzester Zeit verfügten wir über einen erlesenen Spenderkreis, zu dem vor allem Akademiker aus Westberlin, Juristen und Mediziner, gehörten.

Die Spender wollten in aller Regel unerkannt bleiben, viele begnügten sich damit, uns gelegentlich einen Beitrag zu überweisen. Wenn wir wirklich einmal dringend Geld brauchten, genügte ein Anruf bei einem der wohlhabenden Spender, und wir hatten das Geld. Einmal gab es ein Transportproblem: Ein Anruf, und am nächsten Tag hielt ich fünftausend D-Mark zum Kauf eines Autos in den Händen.

Ein japanisches Fernsehteam hatte uns sogar zehntausend D-Mark geboten, damit wir uns mit schweren Waffen während eines Wehrsportlagers von ihnen filmen ließen.

Ein amerikanischer Journalist versuchte ein Interview zu bekommen, ohne dafür zu bezahlen. Er argumentierte so, daß auch der Präsident der Vereinigten Staaten kein Geld für Interviews nehmen würde. Ich sagte ihm, erstens sei ich nicht der amerikani-

sche Präsident, der mache, was er für richtig hielte, wir jedenfalls nähmen Kohle. Die Diskussion war beendet. Der Amerikaner
zahlte anstandslos das von uns geforderte Honorar.

Schlägerei in Langen

In jenen Tagen wurde ich oft zu Führungstreffen eingeladen, und
so fuhr ich auch Anfang März mit meinen Berliner Kumpels und
einigen anderen Leuten aus Rostock und Dresden nach Langen
bei Frankfurt am Main. Dort fand das erste große gemeinsame
Treffen von Neonazis aus der Bundesrepublik und der DDR statt.
Alle bekannten Naziführer waren in Langen dabei. Michael Kühnen leitete diese Zusammenkunft, bei der ich unter anderem Nero
Reisz, den inzwischen verstorbenen Gerald Hess, Wolfgang
Hess und Thomas Hainke aus Bielefeld traf. Sinn und Zweck dieses Treffens war es, in erster Linie die Arbeit der verschiedenen
Naziparteien in der DDR zu koordinieren. Die „Nationale Alternative" sollte künftig nicht mehr nur auf Berlin beschränkt sein,
sondern überregional arbeiten. Nero Reisz, der glaubt, die Spra-
che der Arbeiter zu sprechen, erklärte in seiner abschließenden
Rede, daß er es gut verstünde, wenn ein Arbeiter sich erheben
würde, um seinem Gewerkschaftschef mit einem Ziegelstein das
„matschige" Gehirn einzuschlagen.
Als die Veranstaltung zu Ende war, gingen wir in die Langener
Gaststätte „Holzwurm". Wir saßen gerade gemütlich beim Essen, da bekam einer der Gäste, ein riesiger Zwei-Meter-Mann,
Ärger mit seiner Frau und schlug ihr einen schweren Glasaschen-
becher ins Gesicht. Die ebenfalls schwergewichtige Frau ergriff
daraufhin einen Barhocker, um damit auf ihren Mann einzudre-
schen. Im Ausholen traf die Frau einen von unseren Leuten. Der
stand auf und schlug der Frau mit einer Flasche auf den Kopf. Die
Frau ging sofort zu Boden. Als nun der Ehemann auf unseren
Kameraden losging, mischten sich mehrere Neonazis ein. Die
Handgreiflichkeiten eskalierten, und im Nu war eine blutige Massenschlägerei im Gange. Wolfgang Hess aus Langen, ein großer,
kräftiger Mann, bekam eine Whiskyflasche über den Kopf gezo-

15 Nero Reisz

gen, und knapp am Kopf von Nero Reisz flog ein CD-Player vorbei. Der sonst so großmäulige Altnazi saß danach ziemlich verängstigt in einer Ecke der Kneipe. Flaschen und Gläser flogen kreuz und quer durch das Lokal.

Draußen fuhr Michael Kühnen mit seinem Auto vor. Als er sah, was sich im „Holzwurm" abspielte, gab er sofort Gas und verschwand. Der Zwei-Meter-Mann stand wie ein Fels in der Schlacht. Er hatte schon die meisten unserer Leute niedergeschlagen. Jetzt kam der Riese langsam auf mich zu. Ich stand zusammen mit Frank Lutz an der Bar. Frank gab mir einen kräftigen Stoß, so daß ich dem Riesen entgegenflog und mit ihm gemeinsam über einen Tisch stürzte. Glücklicherweise landeten wir so auf dem Boden, daß ich auf den Mann zu liegen kam. Es gelang mir, ihm meinen Ellenbogen auf den Kehlkopf zu drücken, so daß ihm die Luft zum Atmen genommen war.

In diesem Augenblick erschien endlich die Polizei in der Tür. Die beiden Beamten verteilten in aller Seelenruhe die Visitenkarten ihres Reviers: „Wenn jemand Anzeige erstatten möchte, wissen Sie, wo wir zu finden sind." Der Riese verließ das Lokal mit blutüberströmtem Gesicht, begleitet von seiner jetzt hinkenden Frau. Es war eine Szene wie im Western.

Ich ging mit Frank Lutz zur Bar und bestellte beim Wirt zwei Bier. Der schüttelte grinsend den Kopf: „Und wo soll ich das Bier hineingießen, ich hab ja keine Gläser mehr? Vielleicht wäre es jetzt doch besser, ihr würdet gehen?"

Auf der Heimfahrt nach Berlin ging ich mit ein paar Freunden in den Speisewagen. Frank Lutz hatte eine aufgeschlagene Lippe, Göring fehlte ein Schneidezahn, ich hatte am rechten Auge ein gewaltiges Veilchen, und das weiße Hemd von Friedhelm, der stets das Eiserne Kreuz erster und zweiter Klasse auf der Brust

trug, war zerrissen und blutbeschmiert. – Alle Fahrgäste verließen bei unserem Anblick sofort das Abteil.
Das nächste Gautreffen, Anfang April, verlief etwas weniger spektakulär.

Führende Leute

Auf einer sechsstündigen Eisenbahnfahrt von Hamburg zum Führungstreffen nach Fulda, wohin ich allein mit Michael Kühnen fuhr, teilte Kühnen mir mit, daß ich für den Vorsitz der „Deutschen Alternative" in der DDR vorgesehen sei. Er selbst könne diesen Posten nicht übernehmen. Er gab mir auch zu verstehen, daß es nun langsam an der Zeit sei, konkrete Aktionen auf dem Boden der DDR folgen zu lassen. Als ich ihn fragte, was er damit meint, erklärte er, daß nationalsozialistische Aussprüche und Zeichen auf jüdischen Friedhöfen, die Zerstörung von sozialistischen Denkmälern und Angriffe auf Asylbewerberheime in den Medien für Schlagzeilen sorgen würden. Man sähe: Wir sind da. Solche Vorkommnisse wären für die Entwicklung der Sache sicher nicht das Schlechteste.
Zum Gauleitertreffen in Fulda war ich in meiner Eigenschaft als Gebietsleiter Ost eingeladen worden. Ich traf dort zum erstenmal auf Michael Swierczek von der inzwischen verbotenen „Nationalen Offensive" und auf die beiden Österreicher Gottfried Küssel und Günther Reinthaler. Thomas Wulff („Nationale Liste" Hamburg), Nero Reisz („Deutsches Hessen"), Christian Worch und einige andere mir bekannte Neonazis waren ebenfalls anwesend. Auf diesem Treffen wurde beschlossen, sich intensiv um die noch immer in DDR-Gefängnissen inhaftierten ehemaligen SS-Angehörigen zu kümmern. Auch der Leiter der „Hilfsorganisation für nationale politische Gefangene", deren Arbeit schon seit Jahren inhaftierten alten und neuen Nazis gewidmet ist, war bei diesem Treffen zugegen. Die HNG hat ihren Einfluß inzwischen verstärkt. Sie kümmert sich auch intensiv um unpolitische Gefangene, um unter denen neue Mitglieder für rechtsradikale Organisationen zu werben.

Michael Kühnen

Kühnen galt in Westdeutschland jahrelang als der „Führer der Bewegung". Er starb am 25. April 1991 an AIDS. Sein offenes Bekenntnis zur eigenen Homosexualität und sein Tod haben das neonazistische Lager gespalten wie nie zuvor. Ein Nachfolger für Kühnen hat sich noch nicht herauskristallisiert.

Ich lernte Kühnen im Januar 1990 in Hamburg-Bergedorf in der Wohnung eines „Kameraden" kennen. Kühnen wollte nur kurze Zeit bleiben, daraus wurden dann mehr als zwölf Stunden. Kühnen verstand es glänzend, Menschen zu begeistern. Er hatte Eigenschaften, die für die „Szene" absolut untypisch waren. Er konnte Privates und Politisches sehr gut voneinander trennen, und man hatte nie das Gefühl, er habe eine vorgefaßte Meinung. Er war nicht verbohrt oder in seiner Haltung festgefahren, wie seine Anhänger Küssel und Worch. Er hatte die Fähigkeit, sich auf die unterschiedlichsten Menschen einzustellen. Seine Sensibilität und seine Flexibilität überraschte viele seiner nichtneonazistischen Gesprächspartner. Für Erich Fried zum Beispiel gründete sich die Faszination, die von Kühnen ausging, auf dessen „subjektive Ehrlichkeit". Frieds Angebot von 1984, vor Gericht zugunsten Kühnens auszusagen, sorgte unter den Linken für heftigen Streit, aber Fried hielt ihm bei allen politischen Gegensätzen zugute, er sei „ein vorbildlicher Diskussionspartner" und von jeder „Verstocktheit und Unbelehrbarkeit" weit entfernt.

Nach dem Fall der Mauer erkannten ihn fast alle Neonazis in der DDR als ihren „Führer" an, die Tatsache seiner Homosexualität und daß er HIV-positiv war, wurden als „linke Propaganda" abgetan.

Wir waren begeistert von ihm. Seine Diskretion und Zurückhaltung machten ihn bei allen Bewohnern der Weitlingstraße beliebt. Auch ich unterhielt mich oft und gern mit ihm, verstand er es doch, mich durch seine Argumente zum Denken anzuregen. Sprach man länger mit ihm, merkte man, daß er nie richtige Freunde gehabt hatte. Immer sprach er von „Kameraden", und manchmal hatte ich den Eindruck, daß er es richtig genoß, wenn er sich mit mir über persönliche Dinge unterhalten konnte. Nie habe ich jemanden getroffen, der einsamer war als Kühnen. Ich glaube, der Verlust von Zuneigung und Liebe seiner Eltern waren ein erster Schritt in diese unglaubliche Einsamkeit.

Kühnens politische Laufbahn begann während seiner Gymnasialzeit. Anfangs war er Maoist. Nach einer Vielzahl von Meinungsverschiedenheiten, sie betrafen insbesondere das „Völkische", wandte er sich der NPD zu. Bald war ihm diese Partei jedoch „zu demokratisch". Nach dem Abitur lernte Kühnen bei der Bundeswehr die „entscheidenden nationalsozialistisch gesinnten Leute" kennen. Wegen seiner „nationalen Grundhaltung" wurde er 1977 aus der Bundeswehr entlassen. Er gründete den „Freizeitverein Hansa", der in der Folgezeit in Hamburg durch zahlreiche rechtsextremistische Aktivitäten in Erscheinung trat.

Im Frühjahr 1978 gründete Kühnen in Hamburg die „Aktionsfront Nationaler Sozialisten", deren Absichten er so beschrieb: „Ziel unserer Organisation ist es, die Aufhebung des NSDAP-Verbotes in der BRD, die Werte des Dritten Reiches wiederherzustellen, ein Großdeutschland für alle Deutschen zu schaffen und sie gegen die Bedrohung zu einigen, die jetzt von den Kommunisten und den farbigen Rassen ausgeht. Wir haben Listen mit vielen Namen: Richter, Rechtsanwälte und verschiedene Kommunisten für den Tag X aufbewahrt."

Einem englischen Journalisten präsentierte sich Kühnen im Frühjahr 1978 in schwarzen Schaftstiefeln und schwarzem Hemd, in einem mit Hakenkreuzen und Hitlerbildern dekorierten Raum. Damals behauptete er: „Wir haben unter den jungen Offizieren breite Unterstützung. Diese Leute geben sich absichtlich nicht zu erkennen."

Anfang 1979 mußte sich Kühnen das erstemal wegen Volksverhetzung und der Verbreitung faschistischer Hetzschriften vor dem Hamburger Landgericht verantworten. Ihm wurde vorgeworfen, die Druckschrift „Der Sturm" herausgegeben zu haben, und er stand im Verdacht, Straftaten als Mitglied der neonazistischen Organisation „SA-Sturm 8. Mai" begangen zu haben, dazu gehörten Überfälle auf Lastwagen aus der DDR und ausländische Vertretungen.

Kühnen leitete damals auch die paramilitärische Ausbildung der

16　Vor dem ersten Zusammentreffen mit Kühnen in Bergedorf bei Hamburg. Januar 1990

„Aktionsfront Nationaler Sozialisten" auf dem Bauernhof des Leiters der neonazistischen „WikingJugend" Rohwer. Rohwer selbst wurde wegen des Verdachtes des Bankraubs und des Überfalls auf ein Waffendepot einer niederländischen Einheit in Haft genommen. Bei einer Nazidemonstration in Lentföhrden forderte Kühnen die versammelten Neonazis auf, die Polizei „mit äußerster Entschlossenheit zurückzuschlagen". Nach der heftigen Auseinandersetzung rühmte Kühnen die ANS als „Kampftruppe, die ihren Kampfstandard schon dadurch unter Beweis gestellt hat, daß die Polizei mehr Verletzte als die ANS registrieren mußte."

Ein früherer Mitläufer Kühnens, Andreas Kirchmann, sagte 1979 im Kühnenprozeß aus, er habe bei Gesprächen der Nazigruppe erfahren, daß es zu Kühnens Konzept gehörte, durch eine Serie von Bombenanschlägen eine Atmosphäre der Unsicherheit in der Bundesrepublik hervorzurufen. Damit hätten die Neonazis den Übergang zur nationalsozialistischen Diktatur vorbereiten wollen. Im Juli 1979 gab Kühnen vor dem Gericht in Bückeburg zu, bei einem Führungstreffen seiner Organisation selbst eine Bombe entgegengenommen zu haben. Er soll Sprengstoffanschläge auf eine gewerkschaftseigene Bank, auf ein Pressehaus in Hannover sowie auf den Transitverkehr durch die DDR geplant haben. Vor der Urteilsverkündung bekannte sich Kühnen ausdrücklich zur Mitgliedschaft in der NSDAP/AO, letzteres Kürzel wird

17   Kühnen und Worch in München. Mai 1990

sowohl für „Aufbau-" als auch für „Auslandsorganisation" verwendet.

Kühnen ließ durchblicken, daß es im Falle seiner Verurteilung zu neuen terroristischen Gewalttaten der Neonazis kommen könnte, und warnte die Richter: „Denken Sie an die Kameraden, die hinter mir stehen." Nichtsdestotrotz erhielt Kühnen vier Jahre.

Bald nach der Verbüßung dieser Strafe wurde Kühnen wieder aktiv. Zwar wurde die ANS 1983 vom damaligen Innenminister verboten, Kühnens Aktivitäten richteten sich aber auf die „Freiheitliche Deutsche Arbeiterpartei", gegründet von dem Deutschnationalen Martin Pape. Schnell saßen Kühnens Leute an den Schalthebeln der FAP, und bald gab es auch neue Haftbefehle wegen Verbreitung von Nazipropaganda. Kühnen setzte sich vorübergehend nach Paris ab, wo er eine Zeitlang unbehelligt leben konnte. Als die französischen Behörden jedoch auf ihn aufmerksam wurden, schoben sie ihn wieder in die Bundesrepublik ab. 1985 erhielt er in Frankfurt drei Jahre und vier Monate wegen Nazipropaganda.

Im Herbst 1987 war in verschiedenen Zeitungen zu lesen, der in der Justizvollzugsanstalt Butzbach einsitzende Kühnen sei homosexuell und mit AIDS infiziert. Daraufhin formierte sich eine Gruppe ehemaliger Kühnen-Anhänger zu einer Anti-Schwulen-Fraktion und verfaßte ein Manifest, in dem zu lesen ist, Homosexuelle seien „Verräter am Volk" und „Volksverderber", die AIDS verbreiten, „eine Krankheit, geeignet, gesunde Völker auszurot-

53

18 Michel Faci.
Söldnerführer

ten". Am Schluß heißt es: „Ein Schwuler wird niemals ein treuer Nationalist sein."

Kühnen antwortete mit einer siebenundsechzigseitigen Verteidigungsschrift unter dem Titel „Nationalsozialismus und Homosexualität", in der er an die homosexuelle Tradition von Männerbünden in der Art von Röhms SA erinnert. Er fordert seine ehemaligen „Kameraden" auf, ihre Maßstäbe nicht länger aus der „jüdisch-christlichen Spießbürgermoral" zu gewinnen, sondern aus der biologischen Lebenswirklichkeit der Natur, in der Homosexualität ihren Platz und ihren Sinn hat.

Auch Kühnens Stellvertreter Thomas Brehl wurde für „stockschwul" befunden und aus der Neonazibewegung ausgegrenzt.

Am 1. März 1988 wurde Kühnen aus dem Strafvollzug entlassen, gleich danach erklärte er: „Wo ein Nationalsozialist ist, da lebt die Partei, und solange die Partei lebt, lebt auch Deutschland." Seine taktischen Ziele beschrieb er jetzt so: „Überall, wo Unzufriedenheit herrscht, müssen auch Nationalsozialisten auftauchen, die die Unzufriedenheit schüren, möglichst zur Rebellion steigern, und überall, wo Rebellion herrscht, müssen wir sein, um die Rebellion schließlich einmal zur Revolution zu führen."

Mit der „Nationalen Sammlung" versuchte er 1989 an den hessischen Landtagswahlen teilzunehmen. Aber am 9. Februar wurde diese „Nationale Sammlung" verboten.

Es nahte der einhundertste Geburtstag Adolf Hitlers. Vorbereitungen darauf liefen seit mehr als fünf Jahren, denn schon 1984 hatten sich Kühnen und Brehl mit dem heute fast neunzigjährigen wallonischen Faschisten und ehemaligen SS-General Leon Degrelle in Madrid getroffen, um ein diesbezügliches Komitee zu gründen. Leon Degrelle wurde dessen Ehrenvorsitzender. Degrelle war 1945 in Belgien zum Tode verurteilt worden und nach Spanien geflohen, wo er sich von Franco als Belgiens „kleiner Hitler" und ranghöchster Ausländer in der ehemaligen großdeutschen Wehrmacht feiern ließ.

54

Kühnen pflegte Auslandskontakte sehr intensiv. Er glaubte, ein „internationaler Nationalismus" könnte die Errichtung einer nationalsozialistischen Diktatur in Deutschland beschleunigen. Nach seiner Vision würden alle europäischen Staaten eines Tages eine nationalsozialistische Regierung haben, deren Modell die deutsche sei.

Bei Ausbruch des Golfkrieges schloß Kühnen mit der irakischen Botschaft in Deutschland einen Vertrag über die Aufstellung einer deutschen Freiwilligenlegion für Saddam Hussein. Ein Dokument, das diesen Fakt belegt, findet sich im Nachlaß des verstorbenen Neonaziführers und wurde von der Staatsschutzabteilung des für die fünf neuen Länder zuständigen Kriminalamtes für authentisch erklärt. Das Dokument sah eine „antizionistische Legion" vor, die den Irak gegen die „derzeitige Aggression zionistischer und US-imperialistischer Kräfte" unterstützen wollte. Kühnen, der sich als „politischer und militärischer Leiter" bezeichnete, verlangte für sich die irakische Staatsbürgerschaft und verpflichtete sich, bis zu einhundert deutsche Freiwillige über Kopenhagen und Stockholm in den Irak zu vermitteln. Die Legion sollte durch ein von Kühnen ernanntes Oberkommando geführt werden. Im Vertrag wurden jedem Offizier monatlich fünftausend, jedem Legionär dreitausend D-Mark garantiert. Es gibt allerdings keine Gewißheit darüber, daß es wirklich zum Einsatz dieser deutschen, aus Neonazis rekrutierten Freiwilligentruppe gekommen ist. Fest steht jedoch, daß andere international bekannte Neonazis, unter ihnen der Pariser Michel Faci, während des Golfkrieges im Irak auf seiten der irakischen Armee im Einsatz waren. Michel Faci ist bekannt dafür, daß er an allen Kriegsschauplätzen dieser Erde anzutreffen ist. Schon vor zwölf Jahren war er im südamerikanischen Einsatz.

Faci und Kühnen hielten enge Verbindung, bei jedem größeren deutschen Nazitreffen ist Faci dabei. Im Juli 1992 berichtete er in München von ihren „Heldentaten" im Irak und in Kroatien. Der yuppiehafte Neonazi Ewald Althans stellte am Schluß dieser Veranstaltung fest: „Als Idealisten sind diese jungen Europäer aus Deutschland, Österreich, England, Frankreich, Italien und Spanien nach Kroatien in den Krieg gezogen, und als Männer sind sie

19 Kühnen an der Spitze des Rudolf-Heß-Gedenkmarsches" in Wunsiedel. 1990

zurückgekommen, das muß man wirklich mal so sagen." – Zweihundert meist ältere Zuhörer klatschten begeistert Beifall und griffen spendenfreudig zu ihren Brieftaschen.

Althans war ein gelehriger Schüler Kühnens und schon als Jugendlicher außerordentlich aktiv. Er ist der talentierteste Redner unter allen deutschen Neonazis und wird von vielen als Kühnens eigentlicher Nachfolger bezeichnet. Wegen seines Lebensstils und seiner angeblichen Homosexualität scheint es aber, daß er in weiten Kreisen in Verruf geraten ist. Althans trennte sich Ende der achtziger Jahre von Kühnen und arbeitet seitdem mit dem schwäbisch-kanadischen Selfmade-Neonazi Ernst Zündel zusammen.

Im Gegensatz zu allen anderen Neonazis verfügte Kühnen über eine natürliche Autorität, die sich nicht durch Schreien und billige Wichtigtuerei ausdrückte. Oft sprach ich mit ihm gar nicht über die „Bewegung", sondern über ganz andere Dinge. Er betrachtete das Leben unter vielen Aspekten, und er schien offen für vielerlei Argumente. Er war völlig anders als Worch oder Küssel. Ich merkte, daß er mich gut leiden konnte und gern mit mir sprach. Er war der einzige, den ich als Autorität anerkannte, und die Tatsache seiner Homosexualität hielt ich zunächst für übelste Propaganda. Es schien mir, daß er allen um Längen voraus sei, und seine Überlegenheit war damals für mich die natürlichste Sache der Welt. Ich zweifelte nicht eine Sekunde am Nationalsozialismus. Ich glaube, ich war einfach auf der Suche nach einem Vorbild, das eben damals kein anderer als Kühnen für mich sein konnte. Ich war stolz, mit ihm zusammen fotografiert zu werden. Sein Einfluß gab mir das Gefühl, selbst wichtig zu sein. Innerhalb der Szene war ich anerkannt, das Außenherum interessierte mich nicht. Kühnens Einfluß auf die Intelligenteren von uns war der eines Magiers, dem man sich kaum entziehen konnte. Sein Tod traf mich so hart und überraschend, daß ich damals zum ersten-

Liebe Kameradinnen und Kameraden!

Ich bin gestern von Michael Kühnen ermächtigt worden, Euch folgendes mitzuteilen: Was in den nachstehenden Zeitungsberichten als Vermutung geäußert wird, entspricht den Tatsachen. Kamerad Kühnen leidet an AIDS.

An meiner Würdigung seiner Leistungen und seines Charakters ändert sich dadurch nichts. Mir tut nicht weh, woran er stirbt, sondern daß er stirbt. Mich stört auch nicht, daß dies der Öffentlichkeit bekannt wird. Es ist im Gegenteil eine große Chance, in den Reihen der Kameraden ebenso wie neutraler oder gar feindlicher Außenstehender anständige Menschen von den geifernden Hetzern und Verleumdern zu unterscheiden.

Da Kameradschaft für mich wie für jeden rechtlich denkenden Menschen nicht mit dem Tod endet, sondern über diesen hinausreicht, werde ich selbstredend die Ehre eines toten Michael Kühnen ebenso verteidigen wie die eines lebenden Michael Kühnen.

Mit dem besten Gruß

-Christian Worch-

DIE WELT
12. April 1991

Schonung für Kühnen. Aids?

DW. Erfurt/Frankfurt

Der selbsternannte Neonazi-„Führer" Michael Kühnen (35) ist nach Angaben aus Sicherheitskreisen am Mittwoch im thüringischen Bad Langensalza festgenommen worden. Ein Haftbefehl der Amtsanwaltschaft Frankfurt wegen Autofahrens ohne Versicherungsschutz wurde mit Rücksicht auf Kühnens haftunfähigen Zustand jedoch aufgehoben. Er soll jetzt „absolut entkräftet" im Krankenhaus liegen; Berichten, er leide an Aids, wird nicht widersprochen. Die Staatsanwaltschaft Frankfurt erhob gestern Anklage gegen ihn als Rädelsführer und sechs weitere Neonazis wegen Fortführung einer verbotenen rechtsextremistischen Vereinigung. Dennoch wollen die Sicherheitsbehörden es vermeiden, ihn womöglich in Haft sterben zu lassen, damit die Neonazi-Szene ihn nicht zum „Märtyrer" stilisieren könne.

Die Festnahme in Thüringen geht offenbar auf Ermittlungen im Zusammenhang mit den rechtsextremistischen Krawallen zurück, die sich gegen die Aufhebung der Visapflicht im deutsch-polnischen Reiseverkehr gerichtet hatten. Kühnen war mehrfach in den Ost-Ländern aufgefallen. Nach Einschätzung von Staatsschutz-Fachleuten soll seine „Bewegung" mit Gruppen in Cottbus und Dresden binnen weniger Monate auf bis zu 200 Anhänger angewachsen sein.

Hamburger Abendblatt
12. April 1991

Neonazi Kühnen gefaßt

zi. Erfurt/Frankfurt – Der selbsternannte „Führer" der deutschen Neonazis, Michael Kühnen (35), ist in Langensalza bei Erfurt aufgrund eines Haftbefehls des Amtsgerichts Frankfurt/Main festgenommen worden. Er war zu einem Gerichtstermin nicht erschienen und deshalb zur Fahndung ausgeschrieben worden. Der Haftbefehl wurde inzwischen außer Kraft gesetzt. Kühnen hat Berichten, wonach er an Aids erkrankt sei, nicht widersprochen. Polizeibeamte schilderten seinen Zustand bei der Festnahme als „äußerst schlecht".

mal darüber nachdachte, aus Enttäuschung die Szene zu verlassen.

Kühnen war der eigentliche Begründer des Neonazismus in der Bundesrepublik, seit seinem Tode ist die Kontinuität gebrochen. Natürlich verstand er es auch sehr gut, unangenehme Aufgaben auf andere zu übertragen, so war er bei niemandem unbeliebt, die Angehörigen der Anti-Schwulen-Bewegung ausgenommen. Der Altnazi Friedhelm Busse nannte ihn in Interviews wiederholt einen „Nestbeschmutzer". Kühnens Charakter war aber zu vielschichtig, als daß eine solche Reduzierung seiner Person gerecht werden könnte.

Der Österreicher Gottfried Küssel beanspruchte sofort nach Kühnens Tod die Rolle des Nachfolgers für sich. Sein unüberlegtes Auftreten und sein mangelndes diplomatisches Geschick brachten ihn nach kurzer Zeit ins Gefängnis.

Christian Worch

Worch war über viele Jahre Kühnens bester Freund, er verstand es, sich ihm unterzuordnen, ohne sich lächerlich zu machen. Obwohl auch er als potentieller Kühnen-Nachfolger gehandelt wurde, beanspruchte er diese Position selbst nicht. Worch ist ein ernstzunehmender „nationaler Sozialist". Mehrfach vorbestraft, verbrachte er eine Reihe von Jahren im Gefängnis, sogar auch in Isolationshaft. Er ist ein äußerst beherrschter Typ. Worch hält viel von Kameradschaftlichkeit. Als ich einmal ohne Geld auf dem Stuttgarter Bahnhof festhing und dringend nach Berlin zurück mußte, rief ich ihn an und bat ihn, mir zu helfen. Innerhalb einer Stunde hatte ich auf telegrafischem Wege genug Bargeld. Wieder in Berlin, überwies ich ihm das Geld zurück, postwendend hielt ich es mit der Bemerkung „Wenn wir so anfangen, dann können wir gleich aufhören" wieder in den Händen.

Worch arbeitete mehrere Jahre als Notargehilfe, sein Arbeitgeber entließ ihn, als er seine Gesinnung bemerkte. Er arbeitete noch für eine Zeit in verschiedenen Berufen, bis er ein beträchtliches Vermögen erbte, das es ihm erlaubte, vollkommen ungehindert für die „nationale Bewegung" tätig zu sein und sie generös zu unterstützen.

Worchs Äußeres entspricht den Klischeevorstellungen vom deutschen „Biedermann". Er ist sorgfältig gekleidet und legt großen Wert auf eine gepflegte äußere Erscheinung. Sein Kopf ist nicht kahlgeschoren, sondern er trägt sein Haar akkurat gescheitelt. „Er

wäre der Stolz einer jeden Schwieger-
mutter", stand über ihn in einer Zeitung. Niemals trägt er uniformähn-
liche Kleidungsstücke, niemals
nimmt er an Wehrsportlagern teil. Neben Althans ist er der andere begabte
Redner im Kreis der Neonaziführer.
Im Gegensatz zu Althans achtet er genau auf das, was er sagt, und wird
niemals, wie der, Opfer eines zum Ex-

21 Worch in Halle/Saale. 1991

hibitionismus neigenden Geltungsdranges. Seinem Redetalent
entgegen steht eine gewisse Verdrossenheit, die es verhindert,
seine Zuhörer mitzureißen. In der sehr fragwürdigen Kunst der
Demagogie und Manipulation hat Althans die stärkere Begabung.
Worch ist aber ohne Zweifel der Schlauere von beiden. Althans
versteht es, den Zuhörern eine starke Persönlichkeit und Kraft zu
suggerieren, eine Fassade, hinter der sich nichts als ein selbst-
ernannter Herrenmensch versteckt. Althans genießt es, Macht
zu haben und Menschen zu manipulieren. Vermutlich hätte er in
der modernen Werbebranche ähnliche persönliche Erfolge wie
bei seiner neonazistischen „Aufbauarbeit". Worch ist dagegen
von selbstquälerischer Art. Er gilt als der Chef der Hamburger
„Nationalen Liste", einer Landespartei mit bundespolitischem
Anspruch. Obwohl die NL nicht einmal dreißig Mitglieder um-
faßt, wird sie den größten und gefährlichsten rechtsextremen
Parteien zugerechnet. Worch sonnt sich im Ruf der Gefährlich-
keit seiner Partei. Er ist nur allzugern zu Interviews bereit, in
denen er seine Antworten abspult wie ein Tonband. Er ist gezwungen, vorsichtig zu sein und den Boden der Gesetzlichkeit
möglichst nicht zu verlassen. Als ehemaliger Notargehilfe hat er
darin Übung.

EINSCHREIBEN

An die
NATIONALE ALTERNATIVE BERLIN
Postfach 63

11oo Berlin-Pankow

Liebe Kameraden!

Vielen Dank für die Presseberichte, Eure Presseerklärung und die anderen Unterlagen. Vor allem die Presseerklärung fand ich gut.

Es wäre vielleicht sinnvoll, Strafanzeige wegen Wahlbehinderung bzw. Wahlbetrug zu stellen, auf der Grundlage von §§ 21o und 211 des Strafgesetzbuches der DDR. Formulierungsvorschlag:

AN die Staatsanwaltschaft
Berlin-Lichtenberg

Durchschriftlich zur Kenntnisnahme:
Generalstaatsanwaltschaft der DDR

Strafanzeige gegen die Angehörigen der Wahlkommission Berlin-Lichtenberg und eventuell weitere Personen wegen des Verdachts des Verstoßes gegen die §§ 21o, 211 des Strafgesetzbuches der DDR (Wahlbeinderung, wahlfälschung).

Die Beteiligung der bereits für die Wahl zugelassenen Partei NATIONALE ALTERNATIVE BERLIN ist kurzfristig und ohne tragfähige Begründung durch die Whlkommission verboten worden. Dies stellt eine Wahlbehinderung dar, weil dadurch Bürger der DDR von ihrem Recht an Wahlteilnahme durch Täuschung oder andere, die Entscheidungsfreiheit beeinträchtigende Mittel von der Wahl abgehalten worden sind. (Es sind uns viele Wähler bekannt, die wegen des Verbots der Wahlbeteiligung der NA nicht an der Kommunalwahl am 6. Mai teilgenommen haben, weil sie entweder nur und ausschließlich die NA hätten wählen wollen oder aber weil sie möglicherweise sich am Wahltag auch für eine andere Partei entschieden hätten, aber durch das rechtswidrige Verbot der Wahlteilnahme der NA in ihrem Vertrauen darauf, daß diese Kommunalwahl frei und nach demokratischen Grundsätzen erfolgen könne, erschüttert worden sind.) Es stellt weiterhin eine **Wahlfälschung** dar, weil das Ergebnis einer Wahl schon dadurch ge- bzw. verfälscht werden kann, daß eine (ursprünglich zugelassene) Partei kurzfristig und rechtswidrig an der Wahlteilnahme gehindert wird und die Wähler mithin keine Gelegenheit mehr haben, dieser Partei ihre Stimme zu geben.

Wegen der politischen Bedeutung der Angelegenheit machen wir diese Strafanzeige der Öffentlichkeit, d.h. insbesondere in- und ausländischen Medien, zugänglich.

Soweit mein ungefährer Formulierungsvorschlag, was Ihr konkret schreibt, könnt Ihr natürlich besser beurteilen als ich von Hamburg aus.

Bitte haltet mich auf dem Laufenden.

Mit dem besten Gruß

22 ■■ juristischer Ratschlag in Sachen Nichtzulassung der „Nationalen Alternative" zu den Kommunalwahlen. Mai 1990

An die GENERALSTAATSANWALTSCHAFT   Berlin den 05.05 1990
Littenstraße
Berlin1020

Sehr geehrter HERR Generalstaatsanwalt
_____

Hiermit möchten wir Anzeige gegen den Polizeipräsidenten von
Berlin,Herrn Bachmann, erstatten.
Herr Bachmann hat unseren Wissens,laut Pressemeldung der ADN,
am Donnerstag dem 04.05.1990 wenige Stunden vor der Klausuratagung des Präsidiums der "Wahlkomision der DDR"einen Brief
an das Selbige gesandt...
In diesem Schreiben forderte er den Ausehbluß auf,die
NATIONALE ALTERNATIVE (NA)von den Kommunalwahlen am 06.05.1990
auszuschließen.

Wir sehen hierin einen Amtsmißbrauch der übelsten Sorte und
sehen uns in alte Stasi-SED zeiten zurückversetzt.
Nur wenige Monate nach der "Revolution" durch das Volk wird
hier die unsehlige Verbindung von Polizeiapparat und Politik
fortgestzt!

Wir werden diese Anzeige veröffentlichen um damit auch
gleichzeitig eine Art Lehrnprozeß bei Beamten dieser Sorte
in Gange zu setzen. Wir warten auf Ihre Antwort und bitten
Sie,uns über die ,von Ihnen eingeleiteten,Schritte zu
informieren.Wir werden die Öffentlichkeit auch weiterhin über
diesen Fall informieren.

Mit dem besten Gruß

(Vorstandsmitglieder der NA)

Zuschriften bitte an: Nationale Alternative , Pfn.63 , 11ooBerlin

23   Reaktion des Vorstandes der „Nationalen Alternative" auf deren
Nichtzulassung zu den DDR-Kommunalwahlen. Mai 1990

In der Weitlingstraße 122

Nach dem Treffen in Fulda kamen Gottfried Küssel und Günther
Reinthaler mit nach Berlin in die Weitlingstraße. Ohne sich mit
uns abzusprechen, hatte Michael Kühnen eine Vereinbarung mit
den beiden getroffen: Küssel und Reinthaler, zwei kampferprobte
Österreicher aus der „Gesinnungsgemeinschaft der Neuen

24 Weitlingstraße 122. Mai 1990

Front", sollten sich in Zukunft bis auf weiteres intensiv um unser
Haus kümmern.

Die GDNF sieht sich als eine Dachorganisation für alle ultrarechtsradikalen Parteien in Deutschland, ihr Hauptziel ist die Wieder-
einführung der NSDAP als wählbare Partei für alle Deutschen.
Michael Kühnen wurde bis zu seinem Tode als Chef dieser Organisation von allen Parteien anerkannt. Seit Kühnens Tod leitet
Eite Homan aus Delfzijl in den Niederlanden die GDNF. Homan,
gegen den ein Einreiseverbot nach Deutschland verhängt wurde,
ist außerdem Leiter der „Aktionsfront Nationaler Sozialisten/Auf-
bau-Organisation". Die ANS war 1983 in einer spektakulären
Aktion durch die Justizorgane für Deutschland verboten worden.
Eines ihrer Mitglieder, Christian Bügner, wurde in einem Wald
bei Hamburg erstochen aufgefunden. Wenige Tage zuvor hatte
Bügner den „Kameraden" seinen Ausstieg mitgeteilt, und kurz
danach war die Vermutung laut geworden, Kühnen habe dabei
seine Hände im Spiel gehabt. Nachzuweisen war ihm jedoch
nichts.

Die GDNF versteht sich selbst als die neue SA. Sie organisiert und leitet alle bedeutenderen Neonaziveranstaltungen und -aktionen in Deutschland. Michael Kühnen legte großen Wert darauf, daß ein GDNF-Mitglied in unserem Haus in der Weitlingstraße wohnte, um permanent die Verbindung zur GDNF zu halten, um uns auf Vordermann zu bringen und jederzeit unter Kontrolle zu haben. Gottfried Küssel zog für ständig bei uns ein. Er wollte darüber hinaus aus der Weitlingstraße 122 ein Fanal für ganz Deutschland machen. Er sollte in den kommenden Monaten sein Ziel erreichen. In dieser Zeit wurde das Haus zu einem Zentrum von Gewalt und Terror.

Im April 1990 wurde der Bahnhof Lichtenberg nahezu täglich angegriffen. Dieser Bahnhof befindet sich genau am anderen Ende der Weitlingstraße, er war damals das vorübergehende Zuhause für viele Sinti und Roma, die dort vor allem aus Rumänien, aber auch aus anderen osteuropäischen Ländern mit dem Zug ankamen und nun nicht wußten, wie weiter. Sie waren gezwungen, mit Kind und Kegel auf dem Bahnhof zu nächtigen.

Wir bemerkten natürlich schnell, daß die DDR-Polizisten sich vollkommen zurückhielten und die aus dem Westen noch keine Befugnisse hatten, in Ostberlin einzugreifen. Wir konnten endlich einmal zuschlagen, ohne dafür in irgendeiner Weise belangt zu werden. In diesem Jahr 1990 herrschte das totale Chaos.

Bereits im März hatte ich einen Angriff auf ein von Autonomen besetztes Haus in der Kreuzigerstraße in Friedrichshain geleitet. In unserer Parteizentrale trafen wir alle Vorbereitungen für diesen Angriff. Dann fuhren wir mit zirka dreißig Mann in die Kreuzigerstraße. Wir stiegen alle gleichzeitig durch die Fenster ins Haus ein und schlugen jeden zusammen, der uns in den Weg kam. Es gab einige, die verletzt am Boden liegen blieben. Die meisten Hausbewohner konnten jedoch rechtzeitig nach draußen gelangen und fliehen. Nachdem wir im Haus alles kurz und klein geschlagen hatten, klauten wir noch die schwarzroten Anarchofahnen. Während wir im Haus wüteten, stand in der Nähe ein Streifenwagen der Ostberliner Polizei. In aller Ruhe konnten wir das Haus verlassen, die Polizisten rührten sich nicht von der Stelle. Diese sonderbare, uns unverständliche Haltung einer Polizei, von der wir ganz anderes gewohnt waren, motivierte uns zusätzlich.

Jeden Tag kamen neue, orientierungslose Jugendliche zu uns, die wir entweder in die „Nationale Alternative" aufnahmen oder an andere neonazististische Parteien und Organisationen weitervermittelten. Wir wurden zur zentralen Anlaufstelle für alle Rechtsradikalen in ganz Deutschland. Im Sommer 1990 hatte die „Nationale Alternative" fast achthundert Mitglieder und war eine der größten ultrarechtsradikalen Parteien in damals noch beiden deutschen Staaten. Heute ist die „Freiheitliche Arbeiterpartei" mit zirka zweihundert Mitgliedern die größte Partei dieser Art.

Am Morgen des 20. April 1990 kam Reinthaler ganz aufgeregt zu mir: „Hast du schon alles vorbereitet?"

„Ne, wieso?" fragte ich etwas irritiert zurück.

„Na, heute hat doch der Führer Adolf Hitler Geburtstag."

Ich gab ihm den Rat, sich einmal im Hause umzuhören, ob jemand etwas organisieren wolle.

„Das kann doch nicht wahr sein! Wo sind wir denn hier!"

Ich versuchte Reinthaler zu erklären, daß die meisten der Hausbewohner sich mehr auf der Linie von Gregor Strasser und SA-Stabschef Ernst Röhm befänden. Reinthaler verstand die Welt nicht mehr.

Reinthaler paßte wegen seiner langen Haare und seines merkwürdigen Verhaltens nicht so richtig zu den Leuten in der Weitlingstraße. Viele Bewohner regten sich darüber auf, daß der Österreicher ständig nackt durch das Haus lief. Küssel sagte einmal im Streit zu ihm: „Du kannst ja nicht einmal einen anständigen deutschen Gruß." Damit hatte er ihn völlig aus der Fassung gebracht. Reinthaler hat nämlich einen verkrüppelten Arm, der es ihm unmöglich macht, den Hitlergruß zu imitieren. Reinthaler selbst behauptet, sein rechter Arm sei durch einen Unfall entstellt worden. Diese Geschichte wollten ihm aber viele Leute in der Szene nicht glauben. Einer der Führer der „Vandalen" sagte mir einmal: „Wenn diese Sache mit seinem Arm wirklich vererbt ist, dann will ich mit dem Reinthaler nichts mehr zu tun haben."

Jedenfalls versuchte Reinthaler krampfhaft, im Hause eine Feier-

25   Führungsstab der GDNF, links außen der Niederländer Eite Homan

stunde zu organisieren. Schließlich trug er fünf oder sechs Leu-
ten einige Gedichte vor. Danach sangen sie gemeinsam ein paar
Lieder, während die meisten Hausbewohner schliefen oder ganz
andere Musik hörten. Danach war die Sache für uns erledigt.
Reinthaler hingegen rief noch am gleichen Tage entsetzt bei Küssel an, der gerade für ein paar Tage nach Wien gefahren war.
Küssel hielt mir später einen langen Vortrag über die Bedeutung
Hitlers. Ich sagte ihm, daß ich aber trotzdem mehr an Strasser
orientiert sei.
Ungeachtet dessen nahmen wir den Hitlergeburtstag zum will-
kommenen Anlaß, am Abend in der Stadt zu randalieren. Neonazis aus beiden Teilen Berlins und Deutschlands trafen sich am
Alexanderplatz, es waren ungefähr zweihundert Rechtsradikale
anwesend. Wir in der Weitlingstraße 122 hatten dieses Treffen
organisiert. Es ist bis heute das größte Neonazitreffen in Berlin
geblieben.

Ekkehard Weil bastelt Bomben

In der Zwischenzeit war ich zum Hausführer und Haussprecher in der Weitlingstraße ernannt worden. Jetzt kamen alle möglichen Leute zu uns, und es wurde immer schwieriger, den Überblick zu behalten. Eines Tages brachte der Nazirocker Priem einen älteren Herrn mit ins Haus, der völlig unscheinbar wirkte und überhaupt nicht zu den übrigen Hausbewohnern paßte. Ich fragte Priem, den Chef von „Wotans Volk", wer dieses Männlein sei. Priem antwortete ungewöhnlich ernst mit einer Gegenfrage: „Habe ich schon einmal jemanden mitgebracht, der nicht in Ordnung war?" Küssel sagte mir am Abend, dieser Mann sei niemand anderes als der bekannteste deutsche Rechtsterrorist Ekkehard Weil.

Der Sprengstoffexperte mit akademischer Bildung, Ekkehard Weil, hat bisher insgesamt vierzehn Jahre in deutschen und österreichischen Haftanstalten verbüßt, und er gilt inzwischen innerhalb der rechten Szene als eine Art lebende Legende.

Ich gab Weil eine Wohnung, die neben der meines Freundes Stinki gelegen war. Stinki regte sich sofort bei mir auf: „Wer weiß, was der da rumbastelt, am Ende fliegen wir alle noch in die Luft." Weil hatte tatsächlich ein chemisches Versuchslabor in seiner Wohnung eingerichtet.

Weil wurde 1949 in Berlin geboren. Von 1966 bis 1968 leistete er den Dienst bei der Bundeswehr ab. Dort erwarb er sich fundierte Kenntnisse in der „Kunst des Sprengens", die er anzuwenden versuchte. So hat er einen Sprengstoffanschlag auf das Haus des Nazijägers Simon Wiesenthal verübt und bei anderer Gelegenheit mit einer schweren Waffe einen sowjetischen Soldaten niedergeschossen, der am Westberliner Denkmal der Roten Armee in der Nähe des Brandenburger Tores Wache stand. Bei diesem, im Namen einer „Europäischen Befreiungsfront" geführten Anschlag wurde der Soldat lebensgefährlich verletzt. Ein britisches Militärgericht verurteilte Weil daraufhin zu sechs Jahren Haft. Es war das einzige Mal, daß ein britisches Militärgericht einen Deutschen in Deutschland verurteilt hat. Weil bezeichnete das Attentat vor Gericht als „Vergeltungsschlag gegen die Sowjets". Er habe mit mehreren EBF-Mitgliedern diesen Anschlag vorbereitet, sagte er unter Eid aus. Eine Provokation gegen die Staatsgrenze der DDR habe sich wegen der Sicherheitsmaßnahmen der DDR-Organe als undurchführbar erwiesen. Weil verbüßte seine Haft in der Justizvollzugsanstalt Tegel unter strengsten Sicherheitsbestimmungen. Aus Protest dagegen gelang es ihm eines Tages, die Feuerlöschanlage einzuschalten und die Hauptzentrale der Haftanstalt zu überfluten. Nach diesem Vorfall wurden die Haftbedingungen für ihn gelockert.

Im November 1972 gelang ihm ein weiterer, sensationeller Coup. Als der Wärter eines Morgens seine Zelle öffnete, war sie leer. Die Zeitungen überschlugen sich: „Wer organisierte die Flucht von Weil?" Nach zwei Tagen kam der Rechtsterrorist aus dem Lüftungsschacht gekrochen: „Das war nur ein Scherz."

Im September 1975 wurde er nach fünfjähriger Haftzeit vorzeitig entlassen. Er schloß sich sofort wieder einer ultrarechtsradikalen Gruppe an. 1978 kam er erneut vor Gericht. Diesmal wurde ihm zur Last gelegt, nach einem von ihm verursachten Unfall die Absicht gehabt zu haben, einen der Verletzten noch überfahren zu wollen.

Außerdem mußte er sich wegen eines Brandanschlags auf das Parteibüro der „Sozialistischen Einheitspartei Westberlins" verantworten. In der Verhandlung kam es zu schweren Tumulten. Im Gerichtssaal Anwesende wurden von Rechtsradikalen angepöbelt: „Hängt die roten Schweine auf!" Weil zertrümmerte einem Journalisten das Nasenbein. Drei Jahre waren das Ergebnis. 1979, nur ein Jahr später, zog er es vor, aus einem Hafturlaub nicht ins Gefängnis zurückzukehren. Nach einer Fahndung durch Interpol wurde er 1980 in Brüssel gefaßt und an die Bundesrepublik ausgeliefert. Nun setzte er sich nach Österreich ab, wo er mehrere Sprengstoffanschläge auf jüdische Geschäftshäuser verübte, unter anderem auch auf das des schon erwähnten Simon Wiesenthal. Als Folge von Hinweisen aus der rechten Szene selbst wurde er 1982 in Österreich festgenommen und 1983 in Wien zu fünf Jahren Haft verurteilt. Als er nach Verbüßung dieser Strafe nach Deutschland überstellt wurde, lagen hier schon wieder mehrere Haftbefehle gegen ihn vor. Er mußte bis

1989 sitzen. Auch mit Anschlägen auf jüdische Friedhöfe wurde er in Verbindung gebracht.

Ein paar Tage nach Weils Ankunft in der Weitlingstraße rief mich Christian Worch aus Hamburg an. Er war entsetzt und riet mir dringend, Weil aus dem Haus zu entfernen: „Da, wo Weil sich aufhält, sind meist auch der Staatsschutz und der jüdische Geheimdienst nicht weit." Ich hatte mich aber mit Weil inzwischen angefreundet und konnte ihn deshalb auch nicht mehr aus dem Hause werfen.

Hausdurchsuchung

Worch sollte jedoch recht behalten, denn unser Haus wurde jetzt tatsächlich vom Staatsschutz und auch vom Mossad, dem israelischen Geheimdienst, überwacht. Auch die Ostberliner Staatsanwaltschaft war zum Handeln aufgefordert worden. Das wußten wir. Am 27. April 1990 war es soweit: Gegen vierzehn Uhr stürmte eine Anti-Terror-Einheit unser Haus. Die Anweisung dazu war vom damaligen DDR-Innenminister Diestel persönlich gegeben worden. Die Einheit durchsuchte das ganze Haus, die Beamten fanden lediglich Propagandamaterial, davon aber jede Menge.

Plötzlich glaubte ich meinen Augen nicht zu trauen. Vor mir stand unser alter Bekannter: der Abschnittsbevollmächtigte aus meinem alten Wohngebiet. Ich sagte überrascht: „Na, Krause, was machst du denn hier! Da sind wir ja rechtzeitig mit dem Arsch an die Wand gekommen!"

Seine Kollegen sahen ihn verwundert an, und er selbst schien einen Moment lang nicht zu wissen, wo er hinsehen sollte. Als Freddy ihn erkannte und sich aufzuregen begann, wurde es ihm noch peinlicher. Aber dann wurde ich abgeführt, und da grinste Krause schon wieder. Krause war wirklich der mieseste ABVer, den ich kannte. Einmal, als ich unter dem Paragraphen 48 stand und nach zehn Uhr abends nicht mehr auf die Straße durfte, war ich noch mit Göring unterwegs, als ich auf den hämisch grinsenden Krause traf. Siegessicher kam er auf mich zu: „Na, Herr Hasselbach, zeigen Sie mal Ihren Ausweis!"

„Kannst du vergessen, Krause." Ich grinste zurück.

Als ich ihm den Rücken zudrehte, nutzte Krause die Gelegenheit und haute mir seinen Knüppel von hinten über den Schädel. Göring hatte einen Fotoapparat dabei und fotografierte die Szene, obwohl es bestimmt viel zu dunkel war. Göring flüchtete, und Krause rannte hinter ihm her. Mit einemmal waren Krauses Kollegen da, so, als ob sie hinter dem nächsten Haus gewartet hätten. Göring und ich wurden abgeführt, der Fotoapparat wurde beschlagnahmt.

Der Erfolg der Durchsuchung unseres Hauses in der Weitlingstraße war für die Polizei relativ gering: Wir hatten von der Aktion vorher Wind bekommen und alle im Haus befindlichen Waffen ein paar Straßen weiter in einem PKW versteckt.

Die Polizei nahm dennoch neunzehn Personen fest. Aber die meisten konnten noch am gleichen Tag wieder nach Hause gehen. Gegen Frank Lutz, zwei andere und mich wurden auf der Stelle Haftbefehle erlassen. Das beschlagnahmte Propagandamaterial reichte für diesen Haftbefehl aus, denn auf die Verbreitung von faschistischem Gedankengut standen in der DDR damals mindestens vier Jahre Haftstrafe.

Doch die Polizisten schlugen uns einen Handel vor: Wir sollten sie über Strukturen in der rechten Szene aufklären, dann würde man uns bald wieder freilassen. Da wir alle zusammen keine Lust hatten, nochmals in den Knast zu gehen, machten wir, ohne irgend jemanden zu gefährden, unsere Aussagen. Die Polizei dürfte von uns vieren kaum mehr erfahren haben, als sie ohnehin schon wußte. Nach sechs Wochen waren wir alle wieder in Freiheit. Viel später hatte die Sache aber ein Nachspiel, auf das ich noch zurückkommen werde.

Der Erstürmung unseres Hauses durch die Anti-Terror-Einheit folgte ein Presseansturm nie dagewesenen Ausmaßes. Der Kontostand der „Nationalen Alternative" war innerhalb mehrerer Wochen auf eine fünfstellige Zahl angewachsen, und von den eingehenden Pressegeldern konnten wir inzwischen auch unsere Anwälte bezahlen. Nun, wo die Medien im In- und Ausland so wirkungsvoll auf uns aufmerksam gemacht hatten, bekamen wir Spenden aus aller Welt. Ich organisierte täglich eine Pressekonferenz in unserem Haus, die immer gut besucht war. Die „Nationale Alternative" war mit einem Schlag bekannter geworden, als es die verschiedenen Parteien Michael Kühnens je gewesen sind.

Gegendemos

In der Folge lenkten zahlreiche antifaschistische Gruppierungen ihre Aktivitäten gegen unser Haus. Immer häufiger wurden wir von Autonomen angegriffen, und die Gegend um die Weitlingstraße wurde für uns immer unsicherer. Mehrmals ließen die Autonomen alle unsere Autos in die Luft fliegen, und andauernd kam es vor unserem Haus zu regelrechten Straßenschlachten. An manchen Nachmittagen prügelten sich mehr als zweihundert Leute auf offener Straße. Die Polizei zog es noch immer vor, nicht einzugreifen, und manch ein Uniformierter freute sich geradezu darüber, daß wir uns gegenseitig die Schädel einschlugen.
Im Juni demonstrierten über sechstausend Leute in der Weitlingstraße gegen unser Haus. Ein paar Tage vorher hatte ich mich mit ein paar Hooligans, Fans des Berliner Fußball-Clubs Dynamo, getroffen und sie gebeten, uns am 23. Juni bei der Abwehr dieser Demonstration zu unterstützen. Ich wollte auf alles vorbereitet sein, denn wir gingen davon aus, daß es zu schweren Ausschreitungen kommen würde. Vorher hatte ich es möglichst vermieden, Hooligans in unser Haus zu lassen, sie hätten unsere Ordnung mit Sicherheit sehr stark gestört. Am Tag der groß angekündigten Demonstration erschienen die Hooligans sehr zahlreich, es kamen ungefähr einhundertsechzig Mann. Wir postierten uns alle auf dem Dach unseres Hauses. Mit Steinen, Brettern aber auch mit anderen Waffen waren wir bestens ausgerüstet.
Die Ostberliner Polizei verhinderte jedoch eine direkte Konfrontation zwischen rechten und linken Gruppen. Auf dem Dach unseres Hauses befanden sich mehr als dreihundert Leute, die nur darauf warteten, ungefähr vierhundert Liter Benzin aus Kanistern auf die Straße zu kippen. Wenn die Polizei nicht so energisch

26/27 Plakatekleben auf dem Bahnhof Lichtenberg. (Aufnahmen von 1992)

gegen die linken Demonstranten vorgegangen wäre, hätte es an diesem Tag ein großes Blutbad gegeben.

Durch die Demonstration war das öffentliche Interesse an uns jedoch in einem Maße geweckt, daß die Wohnungsgesellschaft von allen Seiten Druck verspürte, uns die Verträge für das Haus zu kündigen. Das ging aber nicht so einfach, hatten wir doch erst Ende April einen völlig legalen Mietvertrag für das Haus unterschrieben. Inzwischen waren drei weitere, nebeneinanderliegende Häuser in der Weitlingstraße von Skinheads besetzt worden.

Ekkehard Weil versuchte immer wieder, die Hausbewohner zu disziplinieren. Er war mit sich selbst sehr streng und forderte von allen anderen die gleiche Selbstdisziplin. Damit machte er sich bei den meisten Glatzen unbeliebt. Jeden Morgen pünktlich drei Viertel sieben stand er auf und begann damit, auch die anderen zu wecken. Eines Morgens wollte er einen der Hooligans zum Aufstehen bewegen: „Kamerad, Kamerad, alle arbeiten schon im Haus!" Der Hooligan in seinem Tran verstand gar nicht, was der schmächtige Weil von ihm wollte. Nach fünf Minuten kam der legendäre Terrorist wieder ins Zimmer, um ihn endgültig wachzurütteln. Der äußerst reizbare Jugendliche regte sich tierisch auf: „Sag mal,

Alter, hast du 'ne Macke?" Weil verstand ihn nicht: „Aber, Kamerad!" Da hatte der andere die Schnauze voll und haute Weil kräftig eine vor die Birne. Weil kam völlig sprachlos die Treppe herunter.

Weils „Qualitäten" lagen auf anderem Gebiet. Einmal war er in der Nähe, als zweihundert Neonazis einen Überfall auf das „Tacheles" in der Oranienburger Straße durchführten. Während die Glatzen Molotowcocktails und Steine auf das autonome Kulturzentrum warfen, lief er, mit einem Fotoapparat am Hals als Tourist verkleidet, um das Haus herum und sparte nicht mit Ratschlägen. Als die Hooligans davon hörten, daß vor dem „Tacheles" etwas los sei, kamen über hundert von ihnen vom Stadion der Weltjugend her, um mitzumischen und uns zu unterstützen. Noch vor dem Eintreffen der Polizei entfernten wir uns wieder in Richtung Weitlingstraße, von wo aus wir ein paar Tage zuvor diesen Angriff geplant hatten. Später erfuhren wir durch die Zeitungen, daß bei diesem Überfall eine Frau aus dem „Tacheles" erblindet sei.

Auf dem Lichtenberger Bahnhof

Michael Kühnen schrieb uns ein paar Tage später, daß er diese Aktion außerordentlich begrüße und daß Erfolge dieser Art die nationalsozialistische Gemeinschaft stärken und dazu beitragen, den roten Pöbel ein für allemal von der Straße zu fegen. Gleichzeitig gab er uns in seinem Brief zu verstehen, trotz dieser Erfolge doch auch „unsere ausländischen Mitbürger nicht zu vernachlässigen".

Meinem Freund Stinki mußte man solche Dinge nicht zweimal sagen. Mehrmals in der Woche zog er mit anderen Hausbewohnern los, um auf dem Bahnhof Lichtenberg Ausländer zusammenzuschlagen, ich hab darüber schon geschrieben. Stinki sagte nur: „Ich muß den Bahnhof säubern, wer kommt mit?" Auch wenn er sagte, er gehe Zigaretten holen, wußten wir alle, was gemeint war:

Er ging zum Bahnhof, verprügelte einen oder mehrere vietnamesische Zigarettenverkäufer und nahm ihnen anschließend ihre Ware ab. Nach ein paar Monaten gaben ihm die Vietnamesen freiwillig jede Woche drei Stangen Zigaretten, damit er sie in Ruhe ließe. Stinki hielt sich an diesen Vertrag, wenn aber neue Gesichter auftauchten, wurden die erst ein paarmal verprügelt, bis sie bereit waren, ihre „Schutzgebühr" zu zahlen.

Einmal drehten wir mit einem französischen Fernsehteam auf dem Bahnhof Lichtenberg. Die Journalisten interviewten mich und Stinki, während wir über den Bahnhof gingen. Auf der Treppe kamen uns drei vietnamesische Zigarettenhändler entgegen, die Stinki sehr freundlich grüßten. Stinki grüßte ebenso freundlich zurück und sagte dann zu den verdutzten Journalisten: „Sehen Sie, das ist doch alles Blödsinn mit dieser Ausländerfeindlichkeit. Wir hier in Lichtenberg helfen uns im Gegenteil untereinander." Die Franzosen glaubten ihm diesen Blödsinn und sendeten die Szene im französischen Fernsehen.

Neben den täglichen Prügeleien auf dem Bahnhof nahmen wir uns einen ersten Überfall auf ein Asylbewerberheim vor. Wir ließen uns dafür Zeit und planten unser Vorgehen sorgfältig. Wir wählten das unweit gelegene Heim im Hans-Loch-Viertel in Lichtenberg aus, das wir im Juni mit ungefähr einhundertfünfzig Leuten überfielen. Wir warfen Steine und Molotowcocktails auf das Haus. Einige Glatzen waren damit beschäftigt, Flugblätter, beschrieben mit der Parole „Ausländer raus", an die Häuserwände zu kleben.

Fünfzig Polizisten sahen uns zu, ohne Anstalten zu machen, einzugreifen und unsere Aktivitäten zu verhindern. Einer der Beamten, der mich offensichtlich gut kannte, fragte mich jovial: „Was wird denn das nun wieder, Hasselbach? Sie haben doch wirklich nichts begriffen!" Die Ostberliner Zeitung „Junge Welt" machte allerdings den „Gauleiter" von Salzburg, Günther Reinthaler, für die Planung und die Inszenierung dieses Angriffs verantwortlich.

Stinki

Der zweiundzwanzigjährige Stinki kam aus einem Dorf in der Nähe von Emsdetten. Sein Vater ist Buchhalter, er selbst hat Friseur gelernt. Eines Tages stand er in unserer Haustür. Er hatte von der Existenz der Weitlingstraße aus der Zeitung erfahren. Nach drei Tagen hatte man den Eindruck, als ob er nie woanders gelebt hätte. Stinkis Spitzname kam daher, daß es, wenn er in einem Zimmer war, dort nach kurzer Zeit schon ziemlich streng roch. Weder der Geruch, den der verströmte, noch sein Spitzname störten ihn allzusehr. Auf die Idee, sich einmal öfter zu waschen, kam er jedenfalls nicht.

Streng genommen war Stinki eigentlich alles andere als ein Nazi. Er stand auf OI-Musik und die alte Skinkultur, und am ehesten konnte man ihn als einen Anarchisten bezeichnen, der sich dessen nicht bewußt war. Interviews ließ er sich immer gut bezahlen und erzählte dafür auch jeden Scheiß, zum Beispiel, daß man den Führer demokratisch wählen müsse und dann sei er eben der Führer. Politik und Ideologie interessierten ihn überhaupt nicht. In unserem Haus war er bei fast jedem beliebt.

Stinki klaute wie ein Rabe. Er ließ mitgehen, was nicht niet- und nagelfest war. In der Nähe gab es eine Fleischerei. Eines Nachts brach Stinki dort ein und schleppte sämtliches Fleisch und alle Wurst zu uns in die Weitlingstraße. Das Hin- und Herlaufen dauerte Stunden. Auch ein Spanferkel war dabei. Als ihn am anderen Morgen ein Skin wecken wollte, war er sauer: „Ich hab die ganze Nacht für die Bewegung gearbeitet, laß mich in Ruhe!" Am Nachmittag machte er eine sehr sorgfältige Bestandsaufnahme und zählte sein Diebesgut durch. Er notierte alles ganz genau und verteilte einen Teil der Beute sofort. Ich bekam die besten Stücke.

Ein paar Leute beklauten ihn ihrerseits, das konnte er überhaupt nicht vertragen. Längst hielt er sich für den rechtmäßigen Besitzer dieser Wurst und fand es eine Sauerei, von den eigenen Leuten beklaut zu werden. Einen Teil der geklauten Ware schickte er auch an seine Oma in Süddeutschland.

Tagsüber schlief er meist, nachts zog er los, um irgendwelche Geschäfte in Lichtenberg zu plündern. Einmal brachte er eine linke Hausbesetzerin aus der Mainzer Straße angeschleppt. Er fesselte sie an einen Stuhl und begann damit, sie zu verhören. Als ich in sein Zimmer trat, saß er an einer Schreibmaschine und tippte. Er drehte sich zu mir um und sagte im perfekten Polizeijargon: „Ich habe die Gefangene zugeführt." Er hatte offensichtlich Freude daran, auch einmal die Rolle des Vernehmers spielen zu dürfen. Später hing ein Schild an seiner Tür: „Vernehmung, bitte nicht stören." Stinki nahm das Verhör sehr ernst, gelegentlich hörte ich ihn schreien: „Ich kann auch anders!" Da meine Wohnung neben seiner lag, verstand ich immer wieder den Satz: „Das hättest du dir früher überlegen müssen!" Um fünf Uhr morgens ließ er die Frau endlich auf mein Drängen hin wieder laufen. Ich mußte ihm erst klarmachen, daß auf Menschenraub eine ziemlich lange Haftstrafe steht.

Mit der Hierarchie im Hause hatte er wenig im Sinn. Einmal geriet er mit Küssel in einen heftigen Streit. Am Ende klebte an Küssels Tür ein Schild: „Ausländer raus". Wutentbrannt rannte der Österreicher durch das Haus, aber die meisten der Bewohner fanden das eher witzig, Küssel spielte sich für viele zu sehr als Chef auf.

Selbst Kühnen mußte sich Stinkis Willen beugen. Während Kühnen sich mühte, zwei Journalisten der BBC London ein Interview zu geben, dröhnte Stinkis Verstärker. Kühnens höchstpersönliche Bitte, die Musik leiser zu stellen, überhörte Stinki einfach. Da war nichts zu machen.

Immer wenn Stinki und ich Kühnen im Hausflur trafen, flüsterte Stinki: „Immer mit dem Arsch an der Wand bleiben, wenn der Führer kommt." Konnte er jemanden gut leiden, so durfte der sich manches mit ihm erlauben. Einmal begleitete ihn der Regisseur Winfried Bonengel während der Dreharbeiten zu seinem Film „Wir sind wieder da" bei einem Besuch seiner Eltern. Auf der Rückfahrt tranken sie in einer Autobahnraststätte einen Kaffee. Ständig schlug ihm Bonengel mit der Hand auf die Glatze und schrie ihn an: „Benimm dich, du Flegel!" Stinki hatte Spaß an diesem Spielchen. Ein anderes Mal, bei einem Wehrsportlager, hatte Stinki den gleichen Spaß daran, mit einem Gewehr auf den Filmregisseur zu schießen. Stinki verschaffte es Befriedigung, Leute zu quälen.

Wenn es ihm in der Weitlingstraße zu langweilig wurde, verkleidete er sich als Autonomer und mischte zum Beispiel bei der Räumung der Mainzer Straße mit. Dort warf er als Vermummter, zusammen mit den Linken, Steine auf die Polizisten. Er agierte aus Launen heraus, und von Planungen hielt er nichts.

Eines Nachmittags bat er mich um einen Gefallen. Ich sollte ihn mit dem Auto irgendwohin bringen.

„Wohin denn?"

„Fahr los, ich sag's dir unterwegs."

Nach kurzer Fahrzeit verlangte er, anzuhalten. Er stieg aus, verschwand in einem Lebensmittelgeschäft und kam nach einem Moment wieder herausgestürmt, die geklaute Ware unter dem Arm. „Stell den Motor an und los!" brüllte er.

Ich brüllte zurück: „Hast du sie noch alle?"

Er grinste.

Einmal, Weihnachten, stand er vor meiner Tür und schenkte mir lachend einen Videorecorder: „Fröhliche Weihnachten!" Später erfuhr ich, daß er das Gerät bei einem Bekannten in der Wohnung hatte mitgehen lassen. Dabei soll er dem in einem Handgemenge dessen eigene Baseballkeule über den Kopf gezogen haben. Ein anderes Mal erzählte er, wie er durchs Fenster in die Wohnung eines Skinheads eingestiegen war, sich in der Küche an den Tisch gesetzt und sich in aller Ruhe einen Kaffee gebrüht habe. Dann sei er ins Nebenzimmer gegangen und habe Licht gemacht. Der Wohnungsinhaber sei langsam wach geworden und habe Stinki erkannt, obwohl der sich mit seinem Pullover vermummt hatte. Stinki sei auf ihn zugegangen, habe ihn auf den Kopf geschlagen und ganz ruhig gesagt: „Schlaf weiter." Dann habe er dessen Fernseher gepackt und während der Skinhead sich nicht rührte, sei er aus der Wohnung verschwunden, wie er gekommen war.

Ab und an brachte er Frauen mit, wenn sie sich wehrten, mit ihm zu schlafen, zwang er sie, wenigstens seine Wohnung sauberzumachen. Auch einen fünfzigjährigen Mann brachte er eines Tages in Handschellen angeschleppt. Der hatte beim Kartenspiel seinen Mercedes verspielt. Stinki fesselte den vornehm Gekleideten an eine Campingliege in einem der leeren Zimmer und schloß die Tür hinter seinem Gefangenen ab. Am nächsten Tag gingen er und ein paar Skins zur nächsten Bank, wo der Mann ihn auszahlte.

Seit meinem Ausstieg habe ich Stinki nicht mehr gesehen. Ich hörte, auch er will die Szene verlassen.

Ein Amerikaner taucht auf

Ein paar Tage später wurden ich und der gesamte Vorstand der „Nationalen Alternative" zu einer Gesprächsrunde ins Deutsche Theater eingeladen. In der Veranstaltung sollte eine Antwort gefunden werden auf die Frage, wie man eine Eskalation von Gewalt verhindern kann. Autonome blockierten eine der Zufahrtsstraßen zum Theater in der Schumannstraße. Wir bogen in diese Straße ein und waren sofort auf allen Seiten von Linksradikalen umringt. Der Fahrer unseres Jeeps bekam Panik, gab Gas und fuhr ohne Rücksicht mitten in die Menschenmenge. Dabei stürzte einer der Autonomen, und unser Auto rollte ihm über die Beine. Nach diesem Vorfall gab es in Berlin keine Versuche mehr, Rechte und Linke an einen Tisch zu bringen.

Völlig überraschend erschien eines Tages zusammen mit Kühnen der Chef der NSDAP / AO Gary Rex (Gerhard) Lauck aus Lincoln in Nebraska (USA) an der Tür meiner Zweitwohnung in der Wotanstraße.

Diese Wohnung war nur für Besuche von Leuten aus dem engeren Führungskreis bestimmt. Ich wußte an dem Tag nicht, wer kommen würde.

Lauck ist Deutschamerikaner und in den Vereinigten Staaten aufgewachsen.

Lauck unterhält einen eigenen Verlag, über den er nationalsozialistisches Propagandamaterial in der ganzen Welt vertreibt. Er ist auch der Herausgeber der Zeitschrift „Kampfruf", die inzwischen bereits in sechs Sprachen erscheint.

Lauck steht ständig mit allen wichtigen Nazi-Führungskadern überall in Deutschland in Verbindung.

Ich hatte vor dem Besuch schon mit ihm telefoniert, um Aufkleber und anderes Propagandamaterial zu bestellen.

28   Küssel und Lauck

In Begleitung der drei war ein Journalist. Kühnen stellte mir den bärtigen Typen vor und erklärte, daß dieser Journalist eine kleine Reportage über ihn machen würde. So etwas käme ihm gerade recht. Schließlich brauchten er und die „Bewegung" publicity. Ob dieser Journalist ihm gegenüber kritisch sei oder nicht, wäre nicht so wichtig. Entscheidend sei, bekannt zu werden, und gerade von dieser Reportage erhoffe er sich einen hohen propagandistischen Wert.

Kühnen behielt recht: Zwar waren wir im Führungsgremium alle der Meinung, daß der Journalist etwas übertrieben hatte, aber gerade deshalb wurde der Streifen in der gesamten rechten Szene als gelungener Propagandafilm gewertet. Nachdem man den Film gesehen hatte, konnte man sich des Eindrucks nicht erwehren, wir seien extrem gefährlich und stünden kurz vor der Machtübernahme, was einigen von uns nicht gerade mißfiel. Es hatte bestimmt nicht in der Absicht des Journalisten gelegen, daß diese erste Reportage über Kühnen uns ganz besonders motivierte, aber es war so gewesen.

29   Ingo Hasselbach. Herbst 1991

An jenem Abend waren die Dreharbeiten noch nicht abgeschlossen, und nachdem mir Kühnen mehrfach versichert hatte, der Journalist sei in Ordnung, ließ ich ihn und seine Mitarbeiter in der Wotanstraße filmen.

Parteitag in Cottbus

Noch am gleichen Abend fuhr ich mit Kühnen nach Cottbus zum ersten Parteitag der „Deutschen Alternative" auf dem Boden der DDR. Ich war Zweiter Vorsitzender der „Deutschen Alternative", und als Versammlungsleiter sollte ich auch den Parteitag mit einer Rede vor ungefähr dreihundert Leuten eröffnen. Ich sagte dem Österreicher Küssel, der die Sache organisierte, daß ich darauf nicht vorbereitet sei und es besser fände, wenn ein anderer reden würde. Doch Küssel schüttelte den Kopf. Mir wurde ganz schlecht, jetzt vor allen sprechen zu müssen. Ich bekam Magenschmerzen und wurde kreidebleich im Gesicht. Ein paar Minuten vor Beginn der Veranstaltung kam Küssel zu mir und ermunterte mich: „Fang einfach an, der Rest kommt dann schon von ganz allein!"

Mir gingen gerade ein paar erste Gedanken durch den Kopf, wie ich beginnen wollte, da rief eine laute Stimme durch den Saal: „Der Versammlungsleiter soll sofort nach draußen kommen." Ich machte die Saaltür auf und stand plötzlich vor einer Gruppe vermummter Zivilisten, die Maschinenpistolen auf mich gerichtet hielten. Ich sah in ungefähr zwanzig Gewehrläufe und erschrak. Aus der Gruppe heraus fragte mich der Einsatzleiter des Sonderkommandos der Polizei nach meinen Personalien. Ich nannte meinen Namen und bestätigte ihm, daß ich der Leiter dieser Versammlung sei. Darauf erklärte der Polizist, er wäre hier, um Herrn Kühnen zu verhaften.

„Dann gehen Sie doch rein und holen ihn raus", entgegnete ich ihm trotzig.

„Nein, nein, das machen wir jetzt mal ganz anders. Hier, das ist der Haftbefehl, Sie gehen zurück und bringen uns den Herrn Kühnen."

Ich nahm das Papier, ging wieder in den Saal und übergab es Kühnen. Der verlas den Haftbefehl mit großer Routine und ohne vorher einen Blick darauf geworfen zu haben, so, daß alle Anwesenden ihn gut hören konnten. Der Saal begann augenblicklich zu toben. Kühnen lächelte und sagte in aller Ruhe zu mir: „Geh bitte noch mal raus und hol alle Presseleute rein."

Ungefähr einhundert wartende Journalisten strömten in den Saal. Fotoblitze zuckten, und alle Delegierten gebärdeten sich jetzt erst recht wie wild. Kühnen war es gelungen, seine Festnahme zu einem medienwirksamen Ereignis zu gestalten. Er hatte erreicht, was er wollte. Der Parteitag wurde verboten, aber die Zeitungen und das Fernsehen waren am nächsten Tag voll davon. Der Zwischenfall war durch Kühnens Geschicklichkeit und die Gier der Medien erfolgreich zum Ereignis hochstilisiert worden. Ich freute mich, daß ich doch keine Rede halten mußte.

Ein paar Wochen später fuhr ich zusammen mit einem „Kameraden" aus Hamburg auf eine „Dienstreise" nach Barcelona, um mich mit Pedro Varela, dem Chef der spanischen Faschistenorganisation CEDADE zu treffen. Es ging dabei in erster Linie darum, sich kennenzulernen und die spanischen Faschisten zum Rudolf-Heß-Gedenkmarsch nach Wunsiedel, wo Heß begraben liegt, einzuladen. Diese Fahrt wurde aus der Parteikasse der „Nationalen Liste" in Hamburg bezahlt. Die „Nationale Liste" wurde fast ausschließlich von Christian Worch finanziert, und das ist bis heute so geblieben. Worch organisiert und bezahlt die meisten Neonazikundgebungen in Deutschland, unter anderem auch den jährlichen Rudolf-Heß-Gedenkmarsch in Wunsiedel, das seit dem Tode des Hitler-Stellvertreters im Jahre 1987 zum Mekka für Nazis aus aller Welt geworden ist. 1990 nahm ich mit meiner großen Gruppe ostdeutscher Neonazis zum erstenmal am bisher größten Naziaufmarsch nach dem Kriege teil.

Am 16. August 1990 fuhren wir nachts um elf von Berlin aus mit fünf gemieteten Reisebussen los. Den ersten Zwischenfall konnte ich vermeiden, ehe die Fahrt überhaupt begann. Oliver Schweigert, Westberliner Mitglied der „Nationalen Alternative", hatte den Auftrag, die Fahrt zu begleiten. Er war auf die Idee gekommen, alle Fahrgäste, einschließlich der teilnehmenden Hooligans, vor dem Einsteigen in den Bus nach Waffen zu durchsuchen. Schweigert fragte mich, ob ich mit meiner Autorität diese Aufgabe übernehmen könne. Er selbst scheute sich, das zu tun, er hatte offensichtlich Angst. Jonny, einer der bekannteren Hools, nahm mich zur Seite und machte mir unmißverständlich klar, daß es hier nicht einen einzigen Hooligan gäbe, der freiwillig bereit wäre, seinen Leuchtstift abzugeben. Ich beruhigte Jonny und konnte ihn gerade noch davon abbringen, Schweigert kurzerhand niederzuschlagen.

Schon nach vierzig Kilometern legten wir an einer Autobahnraststätte auf Wunsch der Hooligans eine Pause ein. Als wir aus den Bussen stiegen, schrie einer der Hooligans sofort los: „Deutsche, laßt uns plündern!"

30   Ingo Hasselbach und sein jüngerer Bruder

Ungefähr dreihundert Leute rannten auf die zu dieser nächtlichen
Stunde geöffnete Kaufhalle zu. Das Verkaufspersonal schien
schon einmal Bekanntschaft mit den Hools gemacht zu haben,
denn alle Angestellten verließen panikartig den Verkaufsraum.
Die Hooligans bedienten sich sofort und ohne Skrupel. Sie räum-
ten Alkohol und Zigaretten, aber auch Stereorecorder und CD-
Player aus den Regalen in Kartons.
Die Polizei stand in sicherer Entfernung und beobachtete das Ge-
schehen mit dem Fernglas. Was sollte diese eine Streifenwagen-
besatzung gegen dreihundert bewaffnete Jugendliche unternehmen?
Die Fahrer sahen fassungslos zu, wie die Hooligans die geklauten
Sachen in ihre Busse schleppten. Einer von den Jugendlichen
ermahnte einen der Fahrer: „Glotz nicht so blöd und fahr los, du
Penner!"
Nach einer Viertelstunde überholte uns eine Kolonne von Polizei-
wagen mit Blaulicht. Wir wurden gezwungen, auf dem nächsten
Parkplatz anzuhalten, wo die Polizei uns mitteilte, daß wir zur
Klärung eines Sachverhaltes zurück zur Raststätte zu fahren hät-
ten. Also machten wir kehrt und fuhren in Begleitung der Polizei-

31   Wunsiedel 1990

einsatzwagen zurück. Dort wurden wir zur Gegenüberstellung in die Kaufhalle gebracht. Einer der Polizisten fragte eine von den noch immer verängstigten Verkäuferinnen: „Erkennen Sie unter diesen Personen einen der Täter wieder?"

Einem Hool wurde das offensichtlich zu blöd, und er sagte sehr laut: „Jetzt merke ich erst einmal, was hier gespielt wird. Wollen Sie etwa behaupten, jemand aus unserer Reisegruppe hat in dieser Kaufhalle etwas gestohlen?"

Die Verkäuferin schüttelte heftig den Kopf und antwortete dem Polizisten: „Nein, nein, die sahen anders aus. Da ist keiner mit bei."

„Schauen Sie bitte die Herrschaften nochmals genau an, wir müssen sie sonst alle wieder laufenlassen."

Die Verkäuferin und ihre Kolleginnen beharrten auf ihren Aussagen. Es blieb den Polizisten nichts anderes übrig, als uns weiterfahren zu lassen. Auf die Idee, einfach in unseren Bussen nachzusehen, kamen sie in dieser Nacht nicht.

Die Fahrt verlief ohne weitere Zwischenfälle. Die meisten Mitreisenden, Hooligans, aber auch Neonazis, waren inzwischen vollkommen betrunken. Um sechs Uhr morgens erreichten wir Bad

Berneck, unseren gemeinsamen Treffpunkt, an dem wir mit den westdeutschen und ausländischen Neonazis verabredet waren.

Rudolf Heß „zum Gedenken"

Wir legten uns auf eine nahegelegene Wiese und schliefen unseren Rausch aus. Als Stunden später der erste Supermarkt im Ort öffnete, wurde von dort alles geholt, was zum Frühstück gebraucht wurde. Alle verließen auch diesen Supermarkt, ohne zu bezahlen.

Am späten Vormittag trafen immer mehr „Kameraden" in Bad Berneck ein.

Inzwischen war mein jüngerer Bruder Jens verschwunden, der bei mir im Bus gesessen hatte. Ich glaube, Jens bewunderte mich ein wenig und war irgendwie stolz darauf, daß ich einer war, auf den andere hörten. Ich fuhr mit ein paar Leuten in einem PKW los und machte mich auf die Suche nach Jens. Wir fuhren Richtung Wunsiedel. Ziemlich in der Nähe des Friedhofs sahen wir Jens mit einer Dose Bier gemütlich auf einer Bank sitzen. Meinem glatzköpfigen Bruder war es zu langweilig geworden, und er hatte sich allein per Anhalter zum Ort des Geschehens aufgemacht, dorthin, wo mehrere tausend Linksradikale nur darauf warteten, daß ihnen irgendwelche Skinheads in die Hände fielen. Wir holten Jens ins Auto und fuhren gemeinsam zum Friedhof, den die Polizei hermetisch abgeriegelt hatte.

Am Eingang des Friedhofs fragte mich ein Polizist in barschem Ton, was ich hier wolle.

„Da liegt ein Freund von mir", entgegnete ich freundlich.

Der Beamte grinste mich an: „Komm, zieh ab, der Herr Heß wird heute nicht besucht."

Wir drehten uns um und gingen zum Auto zurück. Dort stand eine ältere Frau und sagte: „Jetzt seid ihr extra hergekommen, und nun lassen sie euch nicht drauf, da müßt ihr morgen wiederkommen, wenn die alten Schweine weg sind!"

Inzwischen waren die ungefähr zweitausend Neonazis im Konvoi in Wunsiedel angekommen. Dort warteten bereits sechstausend Polizisten und mehr als fünftausend Autonome auf uns. Der Einsatzleiter der Polizei bat uns, den Gedenkmarsch abzusagen, da er bestrebt sei, eine Eskalation der Gewalt unter allen Umständen zu verhindern.

Christian Worch, der Veranstalter, war hingegen froh, daß so viele Nazis hierher gekommen waren. Er dachte überhaupt nicht daran, die Veranstaltung abzusagen. Mich nahm er zur Seite und beschwerte sich über die Plündereien in der Raststätte. Zahlreiche phantasievoll ausgeschmückte Berichte über die Vorkommnisse in der vergangenen Nacht hatten sich wie ein Lauffeuer ausgebreitet, die meisten Neonazis fanden den Überfall auf die Kaufhalle eher witzig. Worch, ein nationaler Sozialist „der alten Schule", zeigte hingegen für derartigen Vandalismus kein Verständnis. Ich sagte ihm, daß die Leute Hunger hatten, und er solle doch froh sein, daß so viele mitgekommen wären.

Küssel teilte mich und einen Teil meiner Leute zum Ordnungsdienst ein. Pünktlich um drei Uhr nachmittags begann die angesagte Demonstration, die Michael Kühnen anführte. Nach dreihundert Metern versuchten Autonome uns aus einer Seitenstraße heraus anzugreifen. Ich feuerte sogleich einen Leuchtstift in ihre Richtung und lief den Autonomen zusammen mit anderen Ordnern entgegen. Die ersten, mit denen wir zusammentrafen, schlugen wir nieder. Andere drehten sich um und rannten Hals über Kopf einem Polizeiaufgebot in die Arme. Nun schlugen die Polizisten mit ihren Gummiknüppeln zu. Zahlreiche Linksradikale wurden bei dieser Gelegenheit festgenommen.

Nach dem Ende der Demonstration in Wunsiedel, weitere Zwischenfälle gab es nicht, machten wir uns auf die Rückfahrt nach Berlin. Einige Kilometer hinter der Stadt hielten die Busse an. Es war schon ziemlich dunkel geworden. In einiger Entfernung von den Bussen postierten sich mehrere kleine Gruppen von vier, fünf Leuten im Straßengraben längs der Fahrbahn. Es war noch genügend Licht vorhanden, daß man erkennen konnte, wer in den Autos saß. Waren Autonome in den Wagen, wurden sie mit Pflastersteinen beworfen. Mehrere Fahrzeuge hielten an oder landeten im Graben. Unsere Leute rannten hin und bearbeiteten die Insassen mit Baseballkeulen. Vor allem die Hools taten sich wiederum hervor, sie prügelten und plünderten die Autos aus. Einige stellten den geschockten Linksradikalen immer die gleiche Frage: „Habt ihr Koks dabei, ihr könnt uns doch nicht erzählen, daß ihr hier ohne Koks rumfahrt, das könnt ihr uns doch nicht erzählen, wir wissen doch Bescheid."

Zum Fußballspiel nach Leipzig – ein Toter

Wieder in Berlin, luden mich die Hooligans in der folgenden Zeit häufig zu ihren Parties ein. Für mich war das eine willkommene Abwechslung, ging es doch dort weder um „Parteiarbeit" noch um irgendwelche Ideologie. Mir kam es vor, als hätte ich Ferien.

Im Oktober 1990 überredeten mich die Hools, zu einem Fußballspiel nach Leipzig mitzukommen. Wir trafen uns am Berliner Alex. Dort warteten zehn gemietete Reisebusse auf sechshundert Mitfahrer. Unterwegs machten die Hools ihre scheinbar schon traditionelle Pause auf dem gleichen Rasthof wie immer. Sie stürmten auch diesmal wieder die Kaufhalle und schleppten in die Busse, was nicht niet- und nagelfest war. Sie bildeten sogar eine Kette und gaben gegenseitig in aller Öffentlichkeit die gestohlenen Dinge von Hand zu Hand weiter. Drei Leute vom Wachschutz versuchten dieses Treiben zu unterbinden: die Hooligans schlugen sie zusammen und warfen sie eine Böschung hinunter.

Als die „Ware" in den Bussen verstaut war, setzten wir die Reise fort. Viele von den Hools waren inzwischen schon stark angetrunken. Am nächsten Parkplatz hielten wir schon wieder an, alle hatten plötzlich Hunger. Hundert Hools bestellten Bratwürste an einer winzigen Imbißbude. Der Besitzer der Bude freute sich über so viel Kundschaft, er brauchte seinen ganzen Vorrat an Würsten auf: „Hoffentlich reichen die, um euch alle satt zu kriegen, Jungens." Als er dann aber fragte, wer nun die Rechnung bezahle, schmissen alle gemeinsam den ganzen Stand mitsamt dem Verkäufer um. Jonny, der natürlich auch wieder dabei war, schrie: „Den Dreck, den man hier kriegt, den kann ja keiner fressen." Lachend rannten alle zum Bus, der Verkäufer blieb zwischen seinen Coladosen und all den Bratwürsten unter den Trümmern seiner Bude liegen.

Auf einem Parkplatz in der Nähe von Bitterfeld warteten ungefähr fünfhundert westdeutsche Hools auf uns. Gemeinsam fuhren wir weiter nach Leipzig. Als die meisten dabei waren, sich an den Schaltern des Zentralstadions ganz ordnungsgemäß Karten für das Spiel zu besorgen, begann die Polizei völlig überraschend und ohne Vorwarnung Tränengas und Gummigeschosse auf uns abzufeuern. Dabei wurden einige verletzt.

Offensichtlich wollte die Polizei unter allen Umständen verhindern, daß wir ins Stadion gelangten. Jetzt gingen die ungefähr tausend Hooligans gegen die fünfhundert Polizisten vor. Im Nu entstand eine gewaltige Massenschlägerei. Den Hools gelang es, einen Polizei-LKW zu erobern, mit dem sie auf die Polizeikette zufuhren. Daraufhin zogen sich die Polizisten erst einmal zurück.

Die Hooligans stellten das Fahrzeug mitten auf eine Kreuzung und errichteten so eine Barrikade. Andere schoben einen Trabant neben den Polizei-Laster. Ein Linienbus fuhr auf die Kreuzung und mußte anhalten. Der Fahrer und die Fahrgäste wurden gezwungen auszusteigen. Die deutlich in der Minderzahl befindlichen Polizisten standen in einiger Entfernung und beobachteten fassungslos das Geschehen. Nun zündelte Feuer. Innerhalb weniger Sekunden standen alle drei Autos in hellen Flammen. Jetzt versuchte die Polizei, uns auf den angrenzenden Bahndamm zurückzudrängen. Die Beamten näherten sich langsam bis auf eine Entfernung von ungefähr fünfzig Metern. Am Bahndamm lag eine Riesenmenge Schottersteine. Alle fingen an, die Polizisten mit einem Steinhagel zu bombardieren. Jetzt begannen die Polizisten, scharf zu schießen. Die Kugeln pfiffen um unsere Ohren. Ein vielleicht Siebzehnjähriger fiel getroffen zu Boden. Ich stand ungefähr zehn Meter von ihm entfernt. Ein anderer, den ich selbst gut kannte, nahm ihn in den Arm. Aber der Junge war tot. Er hatte einen glatten Herzschuß. Die Straßenschlacht eskalierte, und es gab Schwerverletzte auf beiden Seiten. Viele der Hools konnten ausweichen und kamen so aus dem Schußfeld heraus. Eine vorbeifahrende Straßenbahn wurde angehalten und ge-

32   Kurz nachdem der Hooligan Mike Polei erschossen wurde, Leipzig 1991

stürmt. Alle Insassen und auch der Fahrer flogen auf die Straße.
Dann fuhr einer von uns die Bahn in Richtung Zentrum, ohne sie
an einer Haltestelle zu stoppen.
Vor einer Bude in der fast leeren Innenstadt hielt die Bahn. Hundert Hooligans stürmten aus der Straßenbahn, auf die Bude zu.
Der Verkäufer fuchtelte aufgeregt mit seiner CS-Gas-Flasche
herum. Im letzten Moment ergriff er in panischer Angst die
Flucht. Es wurde alles zerschlagen und die Bude umgeworfen.
Dann rannten die Hools in eine der Einkaufsstraßen hinein.
Ich begegnete einem alten Freund aus der Weitlingstraße, der mit
einer anderen Gruppe hierhergekommen sein mußte. Er hatte
drei Fotoapparate um den Hals hängen und sah wie ein professio-
neller Reporter aus. Freudestrahlend hielt er mir eine Kamera
unter die Nase: „Die ist für dich, na, komm schon, heute ist
Weihnachten, Hasselbach!"
Ich grinste ihn an: „Ne, laß mal, das Fotografieren ist nicht so
meine Sache."
„Selber schuld, wenn du an so einem Tag nicht zugreifst."
Wir zogen zusammen ein paar Straßen weiter. Einer von den

Hools feuerte einen großen Stein in eines der Schaufenster. Es gab einen ungeheuren Knall, und die Glasscherben spritzen wie Eis in alle Richtungen. Der Steinewerfer betrachtete genießerisch die vor ihm liegenden Lebensmittel. Er nahm sich nichts als einen kleinen Schokoriegel, dann ging er langsam weiter.

Jemand klopfte mir von hinten auf die Schulter: „Na, Hasselbach, alter Nazi, wie geht's?" Simon war einer der bestangezogenen Hooligans von Berlin. Er trug stets teure Pullover, es war das Markenzeichen seiner Gruppe von Hooligans, nur erlesene Kleidung zu tragen. Hier war Simon in seinem Element: „Weißt du, Hasselbach, Politik ist nicht so meine Welt. Plündern, das ist es!" Er hatte mehrere Videokameras um seinen Hals hängen. Überall sah man Hools mit geklauten Videokameras und CD-Playern herumrennen. Einige hatten sogar Staubsauger dabei.

Für die Heimfahrt benutzten wir kleinere Straßen, die über die Dörfer führten. In einer Kleinstadt mußten wir an einer Ampel anhalten. Im Wiederanfahren riß einer der Hooligans einer ahnungslosen Fußgängerin die Tasche von der Hand.

Ein paar Kilometer weiter blockierte ein Gefangenenbus der Polizei die Straße. Ungefähr zwanzig Polizisten hielten ihre Waffe auf uns gerichtet. Wir mußten alle raus und in den Gefangenenbus einsteigen. Die Polizei brachte uns in die nächstgelegene Stadt auf ihr Revier, wo wir alle einzeln verhört wurden. Zuerst einmal wollte man wissen, woher denn die vielen CD-Player, Kühlschränke, Videokameras, stangenweise Zigaretten und Kästen voller Schnapsflaschen stammten. Alle sagten übereinstimmend, diese Sachen seien persönliches Eigentum. Dann wurde der Busfahrer hereingeholt und gefragt, woher denn nun all die schönen neuen Sachen wären.

„Ich mußte mich die ganze Zeit auf mein Fahrzeug und die Straße konzentrieren. Sie wissen ja, wie das ist, wenn man mit solch einer Reisegruppe unterwegs ist, da hat eben jeder eine Menge privater Dinge dabei."

Am Ende des Verhörs wurde nicht ein einziges Protokoll unterschrieben, und die Polizei war gezwungen, uns wieder zu unserem Bus zu bringen. Die geklauten Gegenstände blieben im Besitz der Hooligans.

„Heldengedenktag" in Halbe

Der sogenannte Heldengedenktag im November ist neben dem Todestag von Rudolf Heß das wichtigste Datum für die deutsche Naziszene. Im November 1990 trafen sich in Halbe bei Berlin über zweitausend Nazis aus den verschiedensten Gruppierungen. Frau Dr. Ursula Schaffer von der „Deutschen Kulturgemeinschaft" in Westberlin und die „Wikingjugend" organisierten diese Veranstaltungen zum erstenmal auf dem Boden der jetzt nicht mehr existierenden DDR. Zahlreiche ehemalige SS-Angehörige waren zur Feier angereist. Das Ganze war natürlich auch für alle Bewohner der Weitlingstraße 122 und vor allem für die Mitglieder der „Nationalen Alternative" eine Pflichtveranstaltung.

Am Vorabend wußte noch niemand, wie wir nach Halbe gelangen sollten, aber einer der Skinheads sagte mir, daß ich mich nicht verrückt machen soll: „Ich habe mich schon um alles gekümmert. Seid einfach alle um acht vor dem Haus, dann werdet ihr schon sehen." Also warteten am nächsten Morgen dreißig zu dieser frühen Stunde schon leicht alkoholisierte Neonazis auf ihren „Reiseleiter". Und tatsächlich fuhr fünf nach acht der Skinhead mit einem alten Omnibus vor und hielt direkt vor der Weitlingstraße 122. Ich wunderte mich, daß wir alle durch die Fahrertür einsteigen mußten. Alle anderen Türen dieses Vehikels ließen sich nicht öffnen. Ich fragte den glatzköpfigen Fahrer: „Was ist das für ein Bus? Wieso gehen die anderen Türen nicht auf?" Der Skin erzählte mir eine vollkommen unglaubwürdige Geschichte, aus der nur soviel hervorging, daß der Bus, dessen Aufschrift ihn als Eigentum irgendeines VEB auswies, ohne jeden Zweifel gestohlen war. Wir fuhren trotzdem los.

Es wurde erst einmal Geld gesammelt und zur nächsten Tankstelle gefahren, wo der Fahrer mit einem Brecheisen den Tankverschluß aufbrach. In der Zwischenzeit deckten sich die Glatzen mit ausreichend Dosenbier ein. Auch der Tankwart wunderte sich, daß alle durch die Fahrertür aus- und auch wieder einstiegen. Dann ging die Fahrt gemütlich in Richtung Halbe. Kurz bevor wir die Autobahn verließen, hielten wir nochmals an einem

Parkplatz an. Dort sahen wir, wie ein Pole gerade aus seinem Kleinwagen stieg und zwischen den Bäumen verschwand, um auszutreten. Ein paar der Skinheads machten sich sofort an seinem Wagen zu schaffen. Einer räumte alles Gepäck in unseren Bus, ein anderer stach die Reifen platt, und ein dritter schlug alle Scheiben kaputt. Im Bus wurde die „Beute" aufgeteilt. Freddy erhielt einen Schlips, den er sich gleich umhängte. Außerdem wurden noch einhundertachtzig amerikanische Dollars „beschlagnahmt", die beim Kassenwart der „Nationalen Alternative" als „Spende" eingezahlt wurden. Der polnische Autofahrer hatte offenbar in Berlin gerade seine Weihnachtseinkäufe erledigt. Wir aßen seinen ganzen Vorrat an Süßigkeiten auf. Unterwegs wurde ein Teil der potentiellen Beweisstücke einfach aus den Fenstern des fahrenden Busses geworfen.

Zwanzig Minuten später erreichten wir den Friedhof von Halbe. Mittlerweile waren alle total betrunken. Ich versuchte, den besoffenen Haufen, so gut es ging, zu disziplinieren, war aber selber inzwischen ziemlich blau. Die letzten hundert Meter liefen wir in Viererreihen hintereinander. Die Skinheads grölten irgendwelche Sauflieder, während ich, die schwarzweißrote Fahne in der Hand, vornweg stapfte. Wir trafen auf ungefähr zweitausend Trauergäste, die einen Halbkreis um das Denkmal gebildet hatten. Die Gedenkfeier war bereits im Gange, und wir in unserem Zustand hatten es nicht bemerkt.

Alle Anwesenden, besonders die älteren, machten ernste Gesichter und wirkten in sich gekehrt. Jetzt sahen sie uns mit entrüsteten Gesichtern an. Ich versuchte, meine Trunkenheit, so gut es ging, zu verbergen. Arnulf Priem, in dessen Nähe wir zu stehen kamen, ging sofort weg und wollte in dieser Situation jeden Kontakt mit uns vermeiden. Meine damalige Freundin stand in einem albernen Dirndl bei der „Deutschen Frauenfront" und schüttelte bei meinem Anblick verständnislos mit dem Kopf.

Einige meiner Kumpels hatten sogar Bierdosen mit auf den Friedhof gebracht. Ein Mitglied der „Wikingjugend" kam auf mich zu: „Kamerad, Kamerad, Fahnenträger ganz nach vorn zum Denkmal!"

„Lassen Sie mich lieber mal in Ruhe, ich bleibe jetzt hier bei mei-

33   Soldatenfriedhof Halbe

ner Truppe", lallte ich abwehrend. Völlig entrüstet machte der
Typ auf dem Absatz kehrt.

Wir torkelten etwas planlos umher und blieben dann bei den
„Vandalen" stehen. Ich merkte, daß auch die Nazirocker alle
betrunken waren. Die „Vandalen" tragen zumeist lange Haare
und Jeansjacken mit einschlägigen Aufnähern. Wer dort Mitglied werden will, muß ein kompliziertes Aufnahmeverfahren
durchlaufen. Die „Vandalen" hatten sich bereits vor mehr als
zehn Jahren auf dem Gebiet der DDR konstituiert. Der Chef
der „Vandalen" hat ein generelles Presseverbot über die „Vandalen" verhängt, an das sich alle außer ihm selbst halten müssen. Hier in Halbe rissen sie sich zusammen und standen in militärischer Ordnung stramm nebeneinander. Dennoch fiel dann
eine ihrer Frauen einfach um. Der neben ihr stehende Freund
schien das in seinem Zustand gar nicht bemerkt zu haben. Einer
der Anführer, der Aufsehen vermeiden wollte, herrschte den
langhaarigen Nazirocker an: „Eh, du, deine Olle ist gerade um-
gefallen!"

„Was soll ich denn machen?" erkundigte sich der Angesprochene bei seinem Anführer.

„Das ist doch deine Alte, oder?" fragte der scharf zurück.

Die Frau lag, ohne daß etwas passierte, am Boden. Dann zog der „Vandale" seine bewußtlose Freundin an den Beinen zur Seite und lehnte sie, die Beine nach oben, an einen Baum. Viele der Anwesenden, die ihrer Kleidung nach aus dem Westen gekommen waren, starrten ungläubig oder empört auf das, was sich vor ihren Augen abspielte. Insbesondere die „Altnazis" waren nach Halbe gekommen, um „ihrer Toten zu gedenken", und sie konnten natürlich nicht nach-

34 Jens und Ingo Hasselbach auf dem Soldatenfriedhof Halbe. November 1992

vollziehen, daß andere hier waren, um einfach nur auszunüchtern. Ich war ganz froh, daß die Anwesenden jetzt mehr auf die „Vandalen" als auf uns sahen, ich fühlte mich weniger beobachtet.

Der Bundesvorsitzende der „Freiheitlichen Arbeiterpartei", Friedhelm Busse, den ich unter den Anwesenden erkannte, brachte seine Ablehnung des Verhaltens der „Vandalen" ganz besonders deutlich zum Ausdruck. Busse ist mit fast fünfundsechzig Jahren beinahe im Rentenalter und mehrfach vorbestraft, unter anderem wegen der Mitgliedschaft in einer terroristischen Vereinigung. Busse sieht sich selbst als Staatsmann und plant, 1994 ins Europaparlament einzuziehen. „Dann muß man mich endlich wie einen Staatsmann behandeln", bekennt er öffentlich. Busse läßt sich stets von einem seiner Männer fahren und sitzt dann, wie ein „richtiger Politiker", immer hinten rechts im Auto. Busse und seine zirka zweihundert Mitglieder nehmen innerhalb der deutschen Naziszene eine Sonderstellung ein. Seine Partei ist weitgehend isoliert, da andere Naziparteien nicht unbedingt mit ihr zusammenarbeiten wollen. So hatten zum Beispiel die ehemaligen

Anhänger Michael Kühnens in den letzten Jahren kaum Kontakt zur FAP. Busse hat Kühnen schon mehrfach in der Öffentlichkeit als „schwulen Nestbeschmutzer" bezeichnet. Bei für die Neonazis wichtigen Veranstaltungen wie in Wunsiedel oder Halbe erscheinen dennoch stets auch FAP-Leute, um zumindest nach außen hin Eintracht vorzuspiegeln. Im Frühjahr 1992 hatte mich Busse in meiner Wohnung in der Wotanstraße besucht und mich in seine ebenso hochfliegenden wie unrealistischen Pläne eingeweiht: „Ich werde mit der FAP in Straßburg einziehen!" Mich wollte er für seine Partei gewinnen und zum „Gauleiter" von Berlin machen. In manchen deutschen Städten gibt es inzwischen ziemliche Probleme mit einer für Verwirrung sorgenden Vielzahl von „Gauleitern". In München gab es bis vor kurzem zum Beispiel nicht weniger als fünf: Die „Nationalistische Front", der „Nationale Block", die „Freiheitliche Arbeiterpartei", der Kühnenflügel und die „Nationale Offensive" hatten jeweils ihren eigenen „Gauleiter". Und zur gleichen Zeit „feierte" die internationale Presse auch noch den in München residierenden parteilosen Ewalt Althans als neuen Führer aller deutschen Nazis. Das alles trägt natürlich nicht gerade zur besseren Verständigung innerhalb der rechten Szene bei. Dennoch wird von allen „Führern" bei jeder passenden Gelegenheit nach außen Harmonie und geballte Kraft vorgespielt.

Ich war immer froh, wenn diese „offiziellen Veranstaltungen" endlich vorbei waren, und so fuhren wir auch an diesem Tag am Ende des „Heldengedenktages" sofort wieder zurück nach Berlin. Die meisten der mitfahrenden Skinheads soffen im Bus weiter. Nach ein paar Kilometern wurden wir von der Polizei angehalten. Einer der Beamten teilte uns mit, der Bus werde auf der Stelle nach Diebesgut durchsucht. Die Polizisten versuchten vergeblich, die Beifahrertür zu öffnen. Jetzt wußten sie, daß das Fahrzeug geklaut war. Wir mußten alle aussteigen und den Bus stehenlassen. Die Polizisten fanden zahlreiche Gegenstände, die aus dem polnischen Kleinwagen stammten, und manche der Jugendlichen trugen auch noch Kleidungsstücke, die dem Polen gehörten.

Schließlich beschwerte sich der Fahrer des Busses: „Was ist los?

Wie kommen wir nach Hause? Was ist mit unserem Bus?"

„Glauben Sie vielleicht, daß wir Sie in einem gestohlenen Fahrzeug weiterfahren lassen?" fragte der Vernehmer zurück.

Wahrscheinlich hatte weder der Pole Strafanzeige gestellt noch der Volkseigene Betrieb, eine Firma, die es vielleicht schon gar nicht mehr gab, den Verlust seines Omnibusses gemeldet.

35 Busse und Reisz auf einer Demonstration

Als die Vernehmungen beendet waren, fuhr uns die Polizei auf einem LKW zum nächstliegenden Bahnhof. Dort sprangen wir mit unseren Nazifahnen von der Ladefläche und nahmen den nächsten Zug, um unbehelligt und ohne Fahrkarten zurück nach Berlin zu gelangen.

Totengräber Friedhelm

Friedhelm Wander, ein dreiundzwanzigjähriger Totengräber, verbirgt unter seiner militärischen Kleidung fast immer irgendeine Waffe. Schon zu DDR-Zeiten verbüßte Wander wegen illegalen Waffenbesitzes eine dreijährige Haftstrafe. Als der Richter ihn während der Gerichtsverhandlung nach seinem Vorbild fragte, antwortete er, ohne zu zögern: „Heinrich Himmler, Chef der SS." Wander erhielt den Paragraphen 15, der ihm Unzurechnungsfähigkeit bescheinigte. Während seines Gefängnisaufenthaltes erhängte sich der Vater, und so lebt Wander heute allein mit seiner Mutter in einer Dreizimmerwohnung in Berlin.

Auf sein Äußeres legt er sehr wenig Wert. Da er sich höchstens einmal im Monat wäscht, riecht er sehr streng. „Im Krieg konnte man sich auch nicht ständig waschen!" lautet einer seiner Sprüche. Wenn er sich allerdings wäscht, dann gestaltet sich dieses Ereignis für ihn zu einer regelrechten Zeremonie. Er packt all seine alten Etuis aus, die vor ihm schon SS-Soldaten verwendet haben.

Friedhelm Wander benutzt mit Vorliebe Gegenstände, die Toten gehört haben. Er ist ein glühender Verehrer der SS und in jeder freien Minute in den Wäldern um Halbe zu finden, wo die letzte große Schlacht des Zweiten Weltkriegs stattgefunden hat. Er behauptet, dort die Stimmen der toten Soldaten zu hören. Er gräbt nach den Habseligkeiten und Waffen der Gefallenen, aber auch deren körperliche Reste fördert er ans Tageslicht. Er nimmt ihnen die Orden ab, die Kleidung und die Stiefel. Obwohl alles schon bald fünfzig Jahre unter der Erde liegt, ist manches Kleidungsstück für ihn noch brauchbar. „Wenn du die Sachen einmal wäschst, kannst du sie wieder benutzen." In unserem Haus in der Weitlingstraße wollte er eine SS-Einheit gründen, geriet aber mit dem SA-Fan Oliver Schweigert aneinander. Darüber bekamen die beiden immer wieder Streit. Eines Tages ging Wander in Schweigerts Zimmer und malte um die nebeneinanderhängenden Porträts von Röhm und Kühnen ein rotes Herz auf die Wand. Für Wander war die SA nichts als ein Haufen Homos. Schweigert verlor die Fassung und warf Wander aus dem Haus. „Dafür lege ich dich eines Tages um!" schrie Wander, als er ging. Aber nach ein paar Wochen war Wander wieder da. Wander ist unberechenbar. Er konnte eine Stunde lang auf einem Bierkasten sitzen, ihn dann packen und aus dem Fenster werfen. Ich erlebte es häufig, daß ihn irgend jemand in der Straßenbahn anstarrte. Dann ging Wander hin, zog ihn an der Nase hoch und fragte, ob er ein Problem habe.

Wenn wir zum Kriegsspiel in den Wald zogen, hatte er seine große Stunde. Er gab die Befehle. Einmal warf er eine Panzerfaust in einen See, und Hunderte von Fischen flogen durch die Luft.

Im Alltag trägt er ständig eine abgesägte Pump-action unter seiner Armeejacke. Er hat von den Russen Unmengen von Granaten und andere Waffen gekauft, die er für den „Ernstfall" irgendwo versteckt hält.

Einmal fuhr er mit österreichischen Besuchern und Reinthaler in die von Autonomen besetzte Mainzer Straße. In aller Ruhe holte er eine geladene Panzerfaust unter dem Sitz hervor und richtete sie auf eins der Häuser. Nur mit Mühe gelang es Reinthaler, ihn davon abzuhalten, sie abzufeuern.

Nachdem wir die Weitlingstraße geräumt hatten, versuchte Friedhelm Wander sein Glück bei der Fremdenlegion. Er bestand darauf, in seiner geliebten SS-Uniform zu kämpfen. Die Legion nahm ihn nicht, auch wegen seines langen Vorstrafenregisters.

Als er mich das letzte Mal besuchte, traf er mich nicht an. Er entdeckte im Erdgeschoß eine ältere Frau beim Geschirrspülen. „Los, aufmachen!" herrschte er sie an und hielt die Pump-action durchs offene Fenster. Die Frau gehorchte, ohne ein Wort zu sagen. Nach diesem Vorfall war ich für die Mieter in meinem Hause Luft.

Silvester kann man Friedhelm Wander in den Wäldern um Halbe treffen, er zündet dort Kerzen für die Gefallenen an. Besser ist es aber, ihm dann nicht zu begegnen.

„Ritterkreuzträger" Otto Riehs

In Halbe hatte ich noch ein anderes Idol aller deutschen Neonazis kennengelernt. Otto Riehs ist eines der Aushängeschilder innerhalb der Szene. Der Ehrenvorsitzende der Organisation „Deutsches Hessen" fragte mich, ob er, wenn er in Berlin sei, einmal bei mir übernachten könne. Ich versicherte ihm, es sei für mich eine Ehre, ihn zu beherbergen. Ein paar Monate später stand er tatsächlich vor meiner Tür. Unsere Unterhaltung bestand darin, daß er mir unablässig irgendwelche uralten Geschichten aus dem Krieg erzählte, die mich überhaupt nicht interessierten. Abends, vor dem Schlafengehen, tat er sehr geheimnisvoll: „Schau, da steht's!"
„Was steht da?" fragte ich.
„Na, das ist es!"
Ich begriff noch immer nicht, was er meinte.
„Das ist mein Ritterkreuz!" sagte er mit Stolz in der Stimme.
„Das stelle ich jeden Abend zusammen mit dem Eisernen Kreuz neben mein Bett." Er redete ohne Ende von seinem Leben im

36   Riehs mit „seinem" Ritterkreuz, neben ihm Wolfgang Heß. Januar 1992

Dienste der nationalen Sache und von seinen Gewohnheiten. Ich hingegen war mit meinen Gedanken bei einer jungen Frau, die mit ihm zusammen gekommen war. Sie hatte sich als Freundin eines anderen Mitglieds der Organisation „Deutsches Hessen" ausgegeben und paßte ganz und gar nicht in das Klischee einer rechtsradikalen Frau.

Otto Riehs war, soweit ich weiß, nie verheiratet und lebt in seiner Frankfurter Wohnung lediglich mit zwei Riesenschlangen zusammen. Er arbeitet als Taxifahrer, und in seinem Wagen steht auf der Armatur: „Ritterkreuzträger Otto Riehs". In letzter Zeit wird Riehs immer häufiger mit Kritik konfrontiert, und einige Leute aus der rechten Szene äußern Zweifel an der Tatsache, daß Riehs das Ritterkreuz wirklich erhalten hat, und behaupten, er habe es sich einfach nur irgendwo gekauft. Ich besorgte mir ein Buch, in dem alle Ritterkreuzträger vermerkt sind. Seinen Namen suchte ich darin vergeblich. Der „Ritterkreuzträger" verpaßt nur sehr selten eine Veranstaltung der Neonazis. Dort gibt er jungen Rechtsradikalen Autogramme, erteilt fragwürdige Ratschläge und erzählt mehr oder weniger spannende Kriegsabenteuer.

Reinthaler will mich killen

Otto Riehs verbrachte nur eine einzige Nacht in meiner Wohnung in der Wotanstraße. Seine attraktive Begleiterin fragte mich, wo sie denn nun schlafen soll. Sie schien sehr enttäuscht davon, daß ich sie im gleichen Zimmer wie den alten Mann einquartierte. Natürlich hätte ich sie viel lieber in mein eigenes Zimmer gebeten, aber das Risiko, daß Riehs etwas bemerken könnte, war zu groß. Ich hatte in der Vergangenheit schon genügend Probleme mit Leuten aus der Szene gehabt, wenn Frauen im Spiel waren. Eines Tages hatte zum Beispiel der Österreicher Günther Reinthaler seine attraktive Freundin Claudia mit in unser Haus in der Weitlingstraße gebracht. Mein bis dahin gutes Verhältnis zu ihm änderte sich daraufhin ziemlich schnell.

Schon am ersten Abend sah mich Claudia ständig an, und ich erwiderte diskret ihre Blicke, ohne daß Reinthaler etwas bemerkte. Ein paar Tage später traf ich Claudia zufällig in einem Café. Ich setzte mich zu ihr, und sie erklärte mir ohne Umschweife, sie wäre in mich verknallt. Also fuhr ich mit Claudia in meine Wohnung in der Wotanstraße, wo ich, ohne lange zu zögern, mit ihr schlief. Am nächsten Tag zog Claudia in der Wotanstraße ein. Erst nach vier Wochen bemerkte Reinthaler, daß seine Freundin nicht mehr mit ihm zusammen war. Natürlich hatte es irgendeiner aus der Weitlingstraße dem Reinthaler gesteckt, was zwischen Claudia und mir los war. Reinthaler, der gerade in Salzburg war, kam sofort nach Berlin. Nach einem kurzen Gespräch drohte er mir Schläge an. „Ich werde mir eine Hand auf den Rücken binden, und dann kann es von mir aus losgehen!" entgegnete ich ihm, auf seinen verkrüppelten Arm anspielend. Er unterließ es, sich mit mir zu schlagen. Am nächsten Tag stellte er Claudia in meiner Gegenwart vor die Wahl: „Entscheide dich augenblicklich zwischen mir und ihm." Claudia entschied sich, ohne nachzudenken, für mich.

Reinthaler hatte sich schon vor vielen Jahren in der Szene einen Namen gemacht, als ein Einbrecher in seiner Wohnung auf ein größeres Waffenarsenal gestoßen war. Der brave Einbrecher hatte seinen Fund sofort beim österreichischen Staatsschutz gemeldet.

Früher einmal hatte mich Reinthaler sogar zu sich nach Salzburg eingeladen. Wir gingen zusammen auf einen von ihm organisierten „Kameradschaftsabend", er hatte in einer Gaststätte einen ziemlich großen Raum gemietet. Wir saßen zu dritt an einem Tisch, als Reinthaler sagte: „Dann wollen wir mal anfangen."

„Warten wir nicht, bis die anderen kommen?"

„Da kommt keiner mehr." Er hielt einen mehr als langweiligen Vortrag über die „Gaue in Österreich". Daß seine beiden Zuhörer dem Vortrag nur begrenzte Aufmerksamkeit schenkten, schien ihn nicht weiter zu stören. Beim Abschied überreichte er mir seine Visitenkarte, auf der stand: „Günther Reinthaler. Gauleiter Salzburg."

Einmal hat Reinthaler mich gefragt, was ich täte, wenn er mir sagen würde, ich solle für viel Geld einen Typen umbringen. Ich antwortete, daß ich das ablehnen würde. Aber vielleicht wollte Reinthaler mich nur auf die Probe stellen.

In der Weitlingstraße gab Reinthaler sich als armer Student aus, obwohl bekannt war, daß er mehrere Eigentumswohnungen in Berlin, Barcelona und Salzburg besitzt. Auch sein neuwertiger BMW paßte nicht zum Bild des Studenten. Zwei Tage vor der deutschen Wiedervereinigung sprengten Autonome diesen BMW in die Luft – der Wagen mit dem auffallenden Salzburger Kennzeichen war in linken Berliner Kreisen zu bekannt. Am Tage der Wiedervereinigung fuhr ich mit Reinthaler zur Friesenstraße, um sein ausgebranntes Auto zu identifizieren. Wir verfuhren uns und wurden in der Oranienstraße vom Bundesgrenzschutz angehalten. Dort war eine Demonstration von mehreren tausend Autonomen gegen die Wiedervereinigung im Gange. Die Beamten durchsuchten unser Auto und fanden mehrere Schlagstöcke darin. Wir wurden festgenommen und zum nächsten Polizeiwagen geführt. Dabei mußten wir mitten durch die Menge gehen. Die Linksradikalen beschimpften uns: „Hasselbach, du Nazischwein, Reinthaler, du braune Ratte." Zum erstenmal war ich froh, mich in einem vergitterten Polizeiwagen wiederzufinden. Im Wagen saß mir und Reinthaler ein langhaariger Autonomer mit einem Antinaziaufnäher gegenüber. Wir fingen an, den Linksradikalen zu provozieren, bis er Angst bekam. Er sagte auf der

ganzen Fahrt zum Revier in der Perle-
berger Straße kein einziges Wort.
Dort sperrte man mich und den Autonomen in eine Zelle, in der bereits
vierzig Linksradikale saßen. Ich hatte
tierische Angst davor, daß man mich
erkennen oder der Autonome mich
verraten könnte. Vor Angst konnte ich
die ganze Nacht über kein Auge zuma-
chen. Aber merkwürdigerweise ließ
man mich in dieser großen Gemein-

schaftszelle vollkommen in Ruhe.
Nach zwölf Stunden konnte ich am
nächsten Morgen wieder gehen.

37   Reinthaler in der
Weitlingstraße 122

Reinthaler war schon am Abend wieder freigelassen worden, das
mußte damit zusammenhängen, daß er einen großen Hund bei
sich hatte.

Die Angelegenheit mit Claudia war aber bei Reinthaler nicht vergessen. Er drohte damit, mich eines Tages fertigmachen zu wollen.

Als er ein paar Monate später an jene Polizeiprotokolle gelangte,
die Frank Lutz, zwei andere und ich während unserer letzten In-
haftierung im Mai 1990 bei der Polizei unterschrieben hatten,
hielt er diesen Tag für gekommen. Wir hatten in diesen Protokol-
len Äußerungen über uns bekannte allgemeine Strukturen in der
rechten Szene der DDR und der Bundesrepublik gemacht, Aussagen, die bis auf den heutigen Tag niemanden konkret belasten
und deren Inhalt zu jener Zeit dem Staatsschutz auf jeden Fall
bereits bekannt gewesen ist.

Reinthaler gab die Protokolle an Gottfried Küssel weiter, der sie
an die gesamte Szene verschickte. In einem Begleitbrief forderte
Küssel verschlüsselt zur Rache an uns beiden auf, er schrieb
unter anderem: „Daß, würde sich herausstellen, Lutz und Hasselbach die angesprochenen Aussagen tatsächlich getätigt haben, die Grenzen des guten Geschmacks bei weitem überschritten wurden, ist offensichtlich. Wie ihr darauf zu reagieren habt,
überlasse ich eurem Feingefühl."

Entlassungsschein

Herr ~~Frau/Frl.~~ Haßelbach, Ingo

PKZ | 1 | 4 | 0 | 7 | 6 | 7 | 4 | 3 | 0 | 0 | 6 | 4 | wurde am 31.Mai 90

aus d er Untersuchungshaftanstalt I Berlin

nach 1136 Berlin, Lincolnstr. 13 entlassen.

Dieser Entlassungsschein gilt bis 02.06.90 als Legitimation.

Obengenannte r befand sich seit 27.04.90 in Untersuchungshaft/im ~~Strafvollzug~~. Der Ausweis für Arbeit und Sozialversicherung wurde aus~~gehändigt~~/in die Einrichtungen des Organs Strafvollzug nicht eingebracht.*

Eigengeld in Höhe von _1,0a_ M und Fahrkarte* erhalten.

Personalausweis an VPKA _RA wurde ausgehändigt_

am _XXX_

Unterschrift

* Nichtzutreffendes streichen

38 Entlassungsschein für Ingo Hasselbach aus der U-Haft. Mai 1990

Reinthalers Planungen, mich umzulegen, waren wesentlich konkreter, als Küssels „Anregung" es sein durfte.

Christian Worch schrieb daraufhin einen Brief an Reinthaler, Küssel und mich, durch den er mich vor den schlimmsten Reaktionen innerhalb der Szene bewahrte. Indem er mit seinen eigenen vier Jahren Knasterfahrung, Bibelzitaten und eindrucksvollen Beispielen argumentierte, konnte er Reinthaler von seinen Mordplänen abbringen. In seinem Brief meditierte er auch über Begriffe wie „Verrat" und einer automatischen Reaktion darauf, die lauten könne, daß Verräter der Feme verfallen würden. Feme könne aus bestimmten Gründen nicht (mehr) praktiziert werden und man wolle das auch nicht, und so sei die erste Reaktion, so jemanden aus den Reihen „der Bewegung" auszuschließen.

Aber dazu kam es nicht, denn bis zu meinem unwiderruflichen Ausstieg aus der rechten Szene, an den ich damals noch mit keiner Silbe dachte und den ich aus eigenem Antrieb vollzog,

Berlin, 20.Juni 1990
Beginn der Vernehmung: 07.20
Ende der Vernehmung: 11 ??

----
6 Exemplare
1. Ausfertigung

V e r n e h m u n g s p r o t o k o l l

des Beschuldigten

H a ß e l b a c h , Ingo
geb.am 14.07.1967 in Berlin
weitere Personalien bekannt

Frage: In Ihrer Beschuldigtenvernehmung vom
9.5.1990 sagten Sie aus, möglicherweise eine Gefährdung Ihrer Pers?
fürchten zu müssen , wenn bekannt wird, welche Angaben Sie zu den
Umständen der Gründung der Partei " Nationale Alternative " (NA)
gemacht haben.
Welche konkreten Hinweise für die Gefährdung Ihrer Person wurden
Ihnen bekannt ?

Antwort: Konkret bzw. direkt bin ich von
meinen Kumpels und Bekannten aus der NA und aus Westberlin oder der
BRD sowie aus Österreich niemals bedroht worden. Die Aussage über
eine mögliche Gefährdung meiner Person beruht auf meine persönliche
Vermutung . Ich bin davon überzeugt, daß sie meine diesbezüglichen
Angaben nicht tolerieren würden.
Auch aus heutiger Sicht sehe ich noch keine konkrete Gefährdung
meiner Gesundheit bzw. meiner Person.

Frage: Ihnen wird hiermit auszugsweise folgen
Aussage aus der Beschuldigtenvernehmung vom 9.5.1990 verlesen:
" Zum Inhalt des auszuarbeitenden Programms , das für die Zulassung
einer solchen Partei notwendig ist wurde angeraten, tatsächliche
Ziele zu verschleiern ."
Worin bestanden die tatsächlichen Ziele der Partei ?

Antwort: Die Ziele der NA haben wir in unserem
Programm formuliert. In Kurzfassung sind dies:
- Sofortige Wiedervereinigung ,
- Ausländerzuzugsstop,
- Neutralität Deutschlands,
- Umweltschutz und
- Abzug aller Massenvernichtungsmittel.

Diese Ziele sind fast identisch mit Zielen anderer rechtsgerichtete
Parteien in der BRD. Ich hatte ja bereits in vorangegangenen Vernehmungen ausgesagt, daß wir unser Programm unter Verwendung von Progr?
men anderer Parteien im Ausland wie z.B. Deutsche Alternative aus-
gearbeitet haben. Mit den tatsächlichen Zielen der Partei meinte ich
daß ja unsere Partei NA mit auf Anregung und Initiative von

Michael Kühnen und

Thomas Wulff

- 2 -

noch zur Antwort:

███████, der W u l f f persönlich kannte, schlug uns vor, einen Treff mit diesem zu organisieren. Dementsprechend suchte W u l f f am 30. 01. 1990 die Wohnung von ███████████ auf, wo ████████selbst, ich, ███████, ██████████ anwesend waren. W u l f f machte uns mit den Zielen der "Kühnen-Bewegung" vertraut und schlug uns vor, eine ähnliche Partei in Ost-Berlin zu gründen. Zu diesem Zweck lud er uns nach Hamburg ein, wo konkrete Einzelheiten dieser neuzuschaffenden Partei besprochen werden sollten. Vereinbarungsgemäß fuhren ███████████ und ich am 02 02. 1990, abends nach Hamburg, wo wir bis 04. 02. 1990 blieben. Wir waren in Hmaburg-Bergedorf, Morastr. untergebracht, wo am 03. 02. die Gespräche mit W u l f f,

> W o r c h , Christian
> ca. mitte 30
> wh. Hamburg, konkrete Anschrift nicht bekannt
> Telefon-Nr. steht in meinem Kalender
> verantworlich für die Nationale Liste
> in Hamburg im Auftrag von Kühnen,

und

> R i e g e r , Jürgen
> ca. mitte 40
> wh. Hamburg-Rotenbaum
> tätig als selbstständiger Rechtsanwalt in Hamburg
> bekannter Verteidiger von Neofaschisten

stattfanden. Auf Anraten von K ü h n e n schlug uns W o r c h vor, unsere Partei in Mitteldeutschland ebenfalls "Deutsche Alternative" zu nennen, wie sie bundesweit in der BRD vorhanden ist. Wir sollten uns dementsprechend nach Rückkehr in Berlin einigen. Zum Inhaltdes auszuarbeitenden Programms, das für die Zulassung einer solchen Partei notwendig ist, wurde angeraten, tatsächliche Ziele zu verschleiern.
Nach unserer Rückkehr in die DDR führten wir untereinander verschiedene Gespräche darüber, ob wir unsere zukünftige Partei Deutsche Alternative nennen wollten. Da wir davon ausginge daß die die Partei "Deutsche Alternative" eine Partei , die in der DDR als neofaschistische Partei bekannt ist, einigten wir uns auf einen anderen Namen, um eine Zulassung zu erreichen. Im Februar 1990, machte ███████████ den Vorschlag, die Partei "Nationale Alternative" zu nennen, womit wir einverstanden waren. Soweit ich mich erinnere hat der Vorstand der "Nationalen Alternative", ██████ ausgenommen, das Programm erarbeitet und der Volkskammer zur Bestätigung zugesandt. Die Zulassung der Partei "Nationale Alternative" erfolgte meines Wissens im Februar/ Anfang März.
Als Parteivorsitzender wurde Frank L u t z gewählt, Stellvertreter ███████████, Kassenwart ██████████, stellvertr. Richter der PKK Haßelbach, Richter ███████ und Bressesprecher sowie Protokollführer ███████. Später wurde ██████████ ebenfalls Vorstandsmitglied der NA.

Jo Hasselbach 5

39 Auszug aus dem Vernehmungsprotokoll von Ingo Hasselbach. Juni 1990

verging noch eine Menge Zeit, in der ich mir der Anerkennung meiner „Kameraden" sicher sein konnte.

Ein paar Monate später allerdings nutzte ich die Möglichkeit, mich an Reinthaler zu rächen. In Claudias Fotoalbum entdeckte ich ein Nacktfoto des Salzburger „Gauleiters", das ihn mit gespreizten Beinen und einem wollüstigen Gesichtsausdruck zeigte. Dieses Foto verschickte ich nun meinerseits als Kopie in der rechten Szene. Damit war ihm der Spott vieler Neonazis sicher.

„Kamerad" Reinthaler wurde vor kurzem zu vier Jahren Haft wegen Verstoßes gegen das NS-Verbot verurteilt.

„Bereichsleiter Ostmark": Gottfried Küssel

Nach dem Tode von Michael Kühnen sah auch Gottfried Küssel sich als der „neue Führer". Er behauptete, Kühnen habe ihn an seinem Totenbett als legitimen Nachfolger bestimmt. Das haben viele angezweifelt, zumal auch nichts Schriftliches vorliegt.

Ich wurde nach Kühnens Tod zu einer intensiven Kaderschulung nach Wien beordert. Dort machte Küssel mich mit seinen Vorsorgemaßnahmen für den Fall einer Machtergreifung bekannt. Sämtliche Ministerämter für eine neue „Regierung der nationalen Erhebung" hatte er verteilt. Ich sollte Reichsfinanzminister werden. Sogar an den biederen Oliver Schweigert, der in Antifakreisen als geistig beschränkt und nur bedingt zurechnungsfähig gilt, hatte Küssel gedacht. Ihn, über den eine linke Zeitung geschrieben hat, er sei nicht besonders schlau, dafür aber bei allem dabei, sah Küssel als künftigen Reichsverteidigungsminister. In dieser Art waren alle Ministerposten vergeben, einzig der Platz eines Reichskanzlers blieb unbesetzt. Den hatte er wohl für sich selbst vorgesehen. In einer Schulung, die mir schon damals ziemlich bescheuert vorkam, wurden wir durch Küssel auf unsere künftigen Aufgaben als Minister vorbereitet. Auf diesen bierernsten „Kameradschaftsabenden" wurde das Ganze irgendwie albern. Nichtsdestotrotz tauchte eines Abends bei einer solchen Gelegenheit ein bekannter Politiker von einer ernstzunehmen-

(Achtung! Neue Postfachnummer)

An
1.
2.
3.
4.
5.
6.
7.
8.
9.
10.
11.
12.
13.
14.
15.
16.
17.
18.
19.
20.
21.
22.
23.
24.
25.
26.
27.
28.
29.
30.
31.

Liebe Kameradinnen und Kameraden!

In der Anlage übersende ich Euch Kopien von angeblichen Aussagen
Berliner Kameraden, die uns direkt übermittelt wurden. Teilweise
belasten die Aussagen einzelne Kameraden mehr als schwer
(Waffenbesitz, Waffenhandel, Abzeichengesetz etc.). Delikte also,
die sowohl nach ehem. DDR-Recht also auch nach BRD- sowie nach
Österreich-Recht Delikte im Sinne des Strafgesetzbuches sind.

Es ist nicht bekannt ob die beiden "Aussagenden" Frank LUTZ, Berlin (Spitzname "Schmutz") und Ingo HASSELBACH, Berlin (Spitzname
) diese Aussagen selbst getätigt und unterschrieben haben,
oder ob diese Aussagen nebst Unterschriften in den Akt hineinge-
fälscht wurden.

Daß, würde sich herausstellen, Lutz und Hasselbach die angesprochenen Aussagen tatsächlich getätigt haben die Grenzen des guten

Geschmacks bei weitem überschritten wurden, ist offensichtlich.
Wie ihr darauf zu reagieren habt überlasse ich eurem Feingefühl.

In jedem Fall hat irgendwer, entweder Lutz oder Hasselbach oder aber der etwaige Fälscher der Protokolle strafbare Handlungen gem. §164 StGB (Verleumdung) und §187 StGB (falsche Verdächtigung) und im Falle, daß es sich um einen Polizeibeamten handelt auch noch das Verbrechen des Amtsmißbrauches begangen.

Dies sind auf jeden Fall Dinge, die von unsererseite nicht unwidersprochen bleiben können.

Ich gehe hoffnungsvoll davon aus, daß alle Unterstellungen von strafbaren Handlungen, die in diesen Aussagen auftauchen, falsch sind und daher die oben angeführten Gesetzesstellen durch ihre Mitteilung an Behörden betroffen sind.

Beliegend habt ihr zwei Exemplare eines Anzeigenentwurfes, von denen ihr ein Exemplar unterschrieben wieder an mich retournieren wollt, soweit ihr durch die Dokumente zu Unrecht einer strafbaren Handlung beschuldigt werdet.

Wir wollen dann die Anzeigen gemeinsam mit einer Sachverhaltsdarstellung bei der Staatsanwaltschaft Berlin einbringen. Diese Vorgangsweise scheint unbedingt notwendig.

Bitte unserem Vorgehen die entsprechende Wichtigkeit zuzuordnen und schnellstens darauf zu reagieren.

Ich erwarte ehest von Euch zu hören und verbleibe

mit dem besten Gruß

Gottfried Küssel

40   Auszug aus Küssels Rundbrief zu Hasselbachs angeblichem „Verrat"

den, offiziellen österreichischen Partei auf, um ein Grußwort an die anwesenden „Kameraden" zu richten. Uns Berlinern schüttelte er zum Abschied extra die Hand, und nach fünf Minuten war er wieder verschwunden.

Hatten wir den „Schulungsabend" hinter uns, zogen wir mit Küssel die ganze Nacht durch die Kneipen von Wien.

Wenn die Angestellten in seiner Wiener Stammkneipe ein Taxi für ihn riefen, baten sie ausdrücklich darum, keinen ausländischen Fahrer zu schicken.

In einem Interview bestätigte Küssel bereits die Querverbindungen seiner Organisation zur „Freiheitlichen Partei Österreichs", deren Vorsitzender Jörg Haider ist. Küssel sprach in diesem Interview von „guten Kontakten" und bescheinigte sich eine „gewisse Einflußnahme auf Leute, die wir kennen". Der rasante Aufstieg von Jörg Haiders Partei sei zwar für Küssels „Volkstreue Außerparlamentarische Opposition" kurzfristig von Nachteil gewesen, da alle national gesinnten Österreicher dadurch an die FPÖ gebunden waren, „auf dem wiederbearbeiteten Terrain können wir uns aber besser bewegen", schätzte Küssel die Situation ein.

Küssel wurde am 7. Januar 1992 in Wien festgenommen. Seitdem befindet er sich in Untersuchungshaft. Der VAPO-Chef soll in Interviews für die amerikanischen TV-Stationen CNN und ABC die Wiederzulassung der NSDAP gefordert und die Massenvernichtung der Juden geleugnet haben. Zu Prozeßbeginn zitierte Staatsanwalt Josef Redl aus den Publikationen der Vapo, denen zufolge sie ins österreichische Parlament einziehen und sich dann in NSDAP umbenennen wolle. Die ultrarechtsradikale Gruppierung habe sogar einen Putsch in Betracht gezogen, sollte die Machtübernahme mit demokratischen Mitteln nicht gelingen. Ziel dieser Organisation sei die „gänzliche Abschaffung" der Demokratie. Küssel muß sich wegen nationalsozialistischer Betätigung verantworten. Der Strafrahmen in Österreich erreicht dafür das Maß bis zu lebenslanger Freiheitsstrafe. Küssel, mehrfach einschlägig vorbestraft, wurde am 1. Mai 1990 von dreihundert Neonazis in Cottbus mit „Sieg Heil"-Rufen und „Ausländer raus"-Parolen als Kühnen-Nachfolger gefeiert. Inzwischen hält sich Küssel vor Gericht zurück. Mit seinen jüngsten Aussagen, in denen er sich von früher Gesagtem distanziert, versucht er eine allzu lange Haftstrafe zu umgehen.

Natürlich kam Küssel regelmäßig in die Weitlingstraße. Er wohnte zeitweise bei uns. Den Skinheads versuchte er ständig „eiserne Disziplin" einzuhämmern – mit mäßigem Erfolg. Einmal tauchte er wichtigtuerisch in unserem Haus auf und forderte mich auf, als Hausführer einem ausländischen Kamerateam, das er mitgebracht hatte, sofort ein Interview zu geben. Ich saß aber mit Claudia und ein paar Kumpels völlig bekifft herum und verstand gar nicht genau, was Küssel eigentlich von mir wollte. Ich redete dummes Zeug, so daß Küssel schließlich merkte, was mit mir und den anderen los war. Er regte sich wahnsinnig auf: „Wir kämpfen gegen Mißbrauch, und was machst du als Führungskader? Das hat ein Nachspiel!" Umgehend rief er bei Christian Worch in Hamburg an und beschwerte sich dort über mich. Immer wenn etwas schief lief, rief irgendeiner bei Worch an und beschwerte sich. Worch hielt dann salbungsvolle Reden oder schrieb ellenlange Briefe, mit denen er die Wogen zu glätten versuchte.

Küssel lief ständig mit Hammer und Meißel durch unser Haus. Wir sollten die gesamte Elektrik, die Sanitäreinrichtung und alle Fenster erneuern. Diese Reparaturen sprengten den Rahmen unserer finanziellen Möglichkeiten. Wir sahen uns außerstande, die ständig höhergeschraubten Forderungen der Wohnungsgesellschaft, die uns aus dem Haus haben

41   Küssel in Halle/Saale. 1991

wollte, zu erfüllen. Aber Küssel sagte immer wieder: „Geld spielt gar keine Rolle, es gibt in Deutschland und Österreich genug Leute, die uns mit Geld unterstützen." Er träumte von einer Art „braunem Haus" in der Reichshauptstadt, das sollte die Weitlingstraße 122 sein. Deshalb hat er im Sommer 1992 ein Tauschgeschäft zwischen der Wohnungsgesellschaft und den Bewohnern unseres Hauses verhindert. Ich war auf den Vorschlag eingegangen, das Haus gegen neun Einzelwohnungen im Bezirk Lichtenberg einzutauschen. Küssel vereitelte den Tausch, indem er Mike Prötzke und mich als Hausbevollmächtigte kurzerhand absetzte. Aber er konnte das Haus nicht mehr lange halten: Im Dezember flatterte eine Räumungsklage ins Haus, da wir verschiedene Auflagen nicht erfüllt hatten. Silvester 1990 feierten wir eine große Abschiedsparty und schlugen anschließend die Einrichtung kurz und klein.

Die Anwohner der Weitlingstraße werden sich gefreut haben, als wir endlich weg waren. Die Gegend dort ist seitdem wieder viel ruhiger und friedlicher geworden.

42   Michael Heinisch

Das ungeeignete Projekt des Michael Heinisch

Zu dieser Zeit sprach uns der sieben-
undzwanzigjährige Sozialdiakon Michael Heinisch irgendwo auf der
Straße an. Er erzählte uns, daß er
noch Leute für ein Sozialprojekt in der
Pfarrstraße 108 suche. Dieses Haus
solle von Grund auf saniert werden,
und wenn wir mitmachen würden, be-
kämen wir den üblichen, tariflich gesi-
cherten Arbeitslohn. Wir alle waren
arbeitslos und hatten finanzielle Probleme. Mike Prötzke, Frank Lutz,
Stinki, mein Bruder Jens und ich sagten sofort zu. Heinisch stellte uns nur
eine Bedingung: alle national ausge-
richtete Politik aus dem Projekt her-
auszulassen. Am 3. Januar 1991 begannen wir mit der Arbeit.
Die ganze Häuserreihe auf der anderen Straßenseite war von Autonomen besetzt, es wohnten dort zu dieser Zeit etwa einhundert
Linksradikale aus verschiedenen Ländern. Anfangs versuchten
die Linken, das Hausprojekt zu stoppen, indem sie uns ständig
angriffen. Hooligans hatten in den Monaten davor die Häuser der
Linken immer wieder überfallen und auch Autos in die Luft ge-
jagt. Für diese Überfälle machten die Autonomen uns verantwortlich, obwohl wir damit ausnahmsweise nichts zu tun hatten.
Heinisch war bei den meisten von uns vor allem deshalb beliebt,
weil er uns Arbeit verschafft hatte. Er ist ein überzeugter Christ,
der an das Gute im Menschen glaubt. Sein Haar trug er genauso
kurz wie ein Skinhead. Darin sahen einige Linke eine Art der Soli-
darisierung mit den Rechten, die in der Pfarrstraße arbeiteten,
sie nannten ihn spöttisch „Nationalsozialarbeiter". Ich hatte ihm
gegenüber von vornherein gewisse Vorbehalte, ich fand seine
Freundlichkeit übertrieben. Heinisch verkündete immer wieder,
er werde uns eines Tages auf den richtigen Weg führen. Ich ließ

43/44   Pfarrstraße in Berlin-Lichtenberg. Ende 1991

ihn reden und hörte ihm meist gar nicht zu. Ich war froh, einen Arbeitsplatz gefunden zu haben, und der Rest war mir gleichgültig. Heinisch merkte natürlich, daß ich ihn nicht ernst nahm, und verwickelte mich deshalb, um sich meine Sympathie zu erwerben, immer häufiger in Gespräche. Das ging mir auf die Nerven, aber ich riß mich zusammen, ich wollte meinen Arbeitsplatz nicht so schnell wieder verlieren. Heinisch war auf sein Sozialprojekt dermaßen stolz, daß er den Blick für die Realität nach und nach verlor. Die Autonomen beschossen uns regelmäßig mit Luftgewehren und mit Buttersäure. Trafen wir einen von ihnen irgendwo in Lichtenberg, schlugen wir ihn regelmäßig zusammen. Solche Auseinandersetzungen fanden täglich statt, aber Heinisch schien nicht viel davon mitzubekommen. Das, was wir tagsüber aufgebaut hatten, zerstörten die Autonomen regelmäßig in der Nacht wieder.

Im Mai kam es zu den ersten Straßenschlachten in der Pfarrstraße. An einem Wochenende zog ein Trupp betrunkener Rechtsradikaler von einer nahegelegenen Diskothek in Richtung Pfarrstraße 108. Die Skinheads warfen Fensterscheiben der besetzten Häuser ein und zündeten mehrere Autos an. Durch diesen Zwischenfall wurde der Haß noch einmal kräftig geschürt.

Ich war über den Angriff meiner Leute selbst wütend, ich arbeitete in der Pfarrstraße und wollte meine Ruhe haben. Deshalb war ich sogar aus der „Nationalen Alternative" ausgetreten, auch um die Autonomen etwas zu beruhigen. Dennoch sahen die linken Hausbesetzer stets in mir den Initiator der Gewalt gegen sie. So ging ich immer seltener zur Arbeit und erhielt bald meine erste Abmahnung.

Rainer Sonntag – Tod eines „Sheriffs"

Im Juni 1991 gründete ich mit Frank Lutz und Mike Prötzke eine neue, diesmal namenlose „Kameradschaft". Mit dieser „Kameradschaft" nahmen wir im gleichen Monat am Trauermarsch für Rainer Sonntag in Dresden teil. Diese Veranstaltung gestaltete sich zum größten Aufmarsch von Neonazis in der Geschichte der Bundesrepublik Deutschland.

Sonntag war der Chef der Dresdner Neonazis gewesen. Bereits vor der Wende hatte er in Frankfurt am Main gewohnt, dort Michael Kühnen kennengelernt und Ende der achtziger Jahre bei Landtagswahlen für die „Nationale Sammlung" kandidiert. Die „Nationale Sammlung" war jedoch vom hessischen Innenminister verboten worden. Michael Kühnen selbst hat mir erzählt, daß Sonntag in Kreisen der Frankfurter Unterwelt als Zuhälter bestens bekannt gewesen sei, er soll auch nach Kühnens Aussage Gelder aus der Parteikasse der „Nationalen Sammlung" entwendet haben. In der Frankfurter Szene war der Dresdner Führer immer umstritten, deshalb ist er nach dem Fall der Mauer nur zu gern nach Dresden „zurückgeflüchtet". Dort baute er eine „Sächsische Schutzstaffel" auf und machte sich bei der Bevölkerung einen Namen, als er mit seinen Leuten die dortigen Hütchenspieler in Handschellen legte und zur Polizei brachte. Die lokale Polizei war über Sonntags Eigeninitiative sehr erfreut, einer der Polizisten so sehr, daß er Sonntag in seiner dienstfreien Zeit aus Dankbarkeit durch die Stadt chauffierte. Innerhalb kürzester Zeit hatte Sonntag zur lokalen Polizei die besten Beziehungen. Es gelang ihm, im Oktober 1990 eine Großdemonstration gegen die Drogendealer in der Stadt zu organisieren. Anläßlich dieses Ereignisses versammelte sich der gesamte Führungsstab der deutschen Neonazis in Dresden. Die Polizei zeigte sich ungewöhnlich kooperativ, sie ließ sich sogar auf Absprachen mit Kühnen ein. Der Einsatzleiter der Polizei hatte zugesichert, daß er die Demonstration bei Störungen durch Autonome selbstverständlich mit seinen Kräften schützen würde: „Wir sind ja auch noch da, Herr Kühnen!" Als ein Journalist die Polizei aufforderte, etwas gegen die Leute zu unternehmen, die am Bahnhof in aller Öffentlichkeit den Arm ausstreckten und „Heil Hitler" riefen, entgegnete ihm ein Polizist, er sehe hier niemanden, der „Heil Hitler" riefe.

Rainer Sonntag fühlte sich bald als der „Sheriff von Dresden". In Fernsehinterviews behauptete er, die ganze Stadt Dresden stehe hinter ihm und er führe nur aus, was alle wünschten: die Stadt

45/46   Rainer-Sonntag-Gedenkmarsch. Dresden 1991

von Drogendealern, vom Glücksspiel und von der Prostitution zu reinigen.

Diese Reden hinderten ihn allerdings nicht daran, von den Zuhältern in altgewohnter Weise Schutzgelder zu erpressen. Den Bordellbesitzern drohte er, im Falle der Zahlungsverweigerung werde er ihre Läden „plattmachen". Bei dem Griechen Simeonides hatte er sich allerdings verkalkuliert: Der und ein anderer machten mit dem Neonazichef kurzen Prozeß. Aus einer Entfernung von zwei Metern erschossen sie ihn mit einem Schrotgewehr, das er ihnen zuvor kurioserweise selbst verkauft hatte.

47   Am Grabe von Rainer Sonntag. Mai 1993

Auf einem Führungsthing wurde beschlossen, Rainer Sonntag zum Märtyrer zu machen. Christian Worch sagte: „Es ist jetzt völlig uninteressant, was da alles passiert ist. Wir haben einen neuen Märtyrer zur rechten Zeit." Und Nero Reisz äußerte mir gegenüber: „Ich konnte den Typ sowieso nie leiden, jetzt ist er tot und auch noch ein Märtyrer. Das ist doch für einen kleinen Zuhälter gar nicht so schlecht. Was will er mehr?" Auf jeder Naziveranstaltung tauchen seitdem Transparente auf: „Rainer Sonntag – Märtyrer für das Reich".

Als ich beim Trauermarsch den „Lichtenberger Block" anführte, waren mir diese Fakten zwar alle bekannt, zu meiner heutigen kritischen Haltung hingegen hatten sie sich längst nicht verdichtet, im Gegenteil, noch überwog ein trotziges „Jetzt gerade erst".

Natürlich brachten auch die Autonomen in der Pfarrstraße in Erfahrung, welche nicht unwesentliche Rolle ich bei diesem Trauermarsch gespielt hatte. Sie forderten Heinisch auf, mich aus dem Projekt in der Pfarrstraße auszuschließen. Aber bis dahin sollte noch Zeit vergehen.

Kriegsspiele in den märkischen Wäldern

Den Sommer verbrachten viele Neonazis in den Berliner Randgebieten. Mit scharfen Waffen wurde in den Wäldern Krieg gespielt. Ein paarmal fanden Treffen mit Angehörigen des „Ku Klux Klan" statt. Mit ihnen wurde der „Ernstfall" geprobt. Viele von ihnen kommen aus Königs Wusterhausen, einem Städtchen vor den Toren von Berlin. Es gibt mittlerweile in vielen deutschen Städten

Gründungszellen dieses nordamerikanischen rassistischen Geheimbundes. Der Klan arbeitet in den USA mit Lauck, dem Chef der NSDAP/AO aus Nebraska, zusammen. Lauck hat am Telefon öfter davon berichtet, wie der Klan in Deutschland ständig an Einfluß gewinnt.

Einige Klan-Mitglieder haben in Zeesen bei Königs Wusterhausen mehrfach ein von Autonomen besetztes Schloß angegriffen. Bei einem dieser Überfälle wurde einem niederländischen Besetzer die Schulter durchschossen. Die Ermittlungen der zuständigen Polizeidienststelle sind derzeit noch nicht abgeschlossen.

Meine Zusammenarbeit mit dem Ku-Klux-Klan beschränkte sich auf ein paar wenige Wehrsportlager.

Wir trafen uns meist am Freitagabend und zogen die ganze Nacht durch die Wälder. Einmal begegnete uns ein Förster. Der alte Mann fuhr einen Trabant Kübel. Er sah, daß wir bis an die Zähne bewaffnet waren. Er hielt an, stieg aus und fragte, was wir hier machten. Jetzt sei Brunftzeit, und wir dürften nachts nicht einfach so durch den Wald laufen. Friedhelm Wander machte einen Schritt auf ihn zu und herrschte ihn an: „Bleiben Sie mal ganz ruhig, mein Lieber! Sie befinden sich hier in militärischem Sperrgebiet!"

48–56 Wehrsportübung in den Wäldern Brandenburgs

„Ich habe nicht das Gefühl, daß Sie irgendeiner militärischen Einheit angehören", entgegnete der Förster mit fester Stimme.

„Und ich habe nicht das Gefühl, daß Sie als Zivilist das beurteilen können. Ich rate Ihnen: Machen Sie, daß Sie schnell verschwinden!" schrie Wander zurück.

Daraufhin stieg der Förster in sein Auto und fuhr davon.

Wir übten mit Maschinengewehren auf ehemals sowjetischem Militärgelände. Die Waffen hatten wir zuvor russischen Soldaten abgekauft. Wenn das Wochenende vorbei war, vergruben wir sie jedesmal an einem sicheren Ort im Wald.

Schon zwei Jahre zuvor, im Sommer des Jahres 1990, war ich von dem Hamburger Neonazi Thomas Wulff zu einem Treffen der ganz besonderen Art eingeladen worden. Jürgen Rieger, ein in der „Szene" nicht unbekannter Rechtsanwalt, hatte ein Treffen

57 Waffensuche in den Wäldern um Halbe. André Riechert (Pressesprecher der „Nationalen Alternative") ist fündig geworden

auf Bundeswehrgelände für Liebhaber militärhistorischer Fahrzeuge angemeldet. Seltsamerweise erschienen die Teilnehmer alle in Tarnuniformen. Viele von ihnen kamen in alten Wehrmachtsfahrzeugen angereist. Rieger teilte die ungefähr sechzig Anwesenden in zwei Gruppen auf. Beide Gruppen fuhren in unterschiedlichen Richtungen los, um sich an einem vorher ausgemachten Punkt wiederzutreffen. Die Fahrt ging querfeldein, durch Schlammlöcher und über Stock und Stein, für manche sicher ein Gefühl wie auf dem Rußland-Feldzug. Am Treffpunkt angekommen, verließen wir die Fahrzeuge und begannen mit verschiedenen Schießübungen. Die Bundeswehr hatte dem Verein für militärische Fahrzeuge großzügig Schreckschußmunition zur Verfügung gestellt. Später schossen wir mit Luftgewehren auf Zielscheiben. Fünf Bundeswehrsoldaten hatten sich uns zugesellt und nahmen am Zielschießen teil. Der Gewinner, ein Mitglied der „Nationalen Liste", erhielt von der Bundeswehr einen zwar alten aber funktionstüchtigen Karabiner überreicht. Zum Abend wurden wir in die Kaserne zu einer Grillparty mit Freibier eingeladen. Nachdem wir uns bei dieser Gelegenheit ordentlich betrunken hatten, schliefen wir auch in der Kaserne. Dreißig der

58–61 Wehrsportübung auf der Insel Rügen

Teilnehmer trugen die Tarnuniform des österreichischen Bundesheers, die der Tarnuniform der SS aus dem Zweiten Weltkrieg gleicht.

Allerdings nahmen an diesem Treffen nicht nur Neonazis teil. Einige der Gäste empfanden deren Auftritt aber als zu militant und verschwanden schnell wieder. Einer war zum Beispiel mit einem amerikanischen Jeep der Alliierten gekommen und hatte auf die Kühlerhaube einen deutschen Stahlhelm montiert. Ein Loch in diesem Helm und die Aufschrift „Landung in der Normandie 1944" wiesen darauf hin, wo und durch wen sein Träger den Tod gefunden hatte. Dieser Teilnehmer war ganz offensichtlich in den falschen Verein geraten, und nach

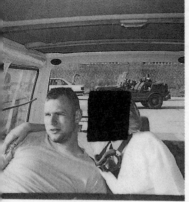

62   Thomas Wulff beim
Treffen der Liebhaber
militärhistorischer Fahrzeuge.
Putlos bei Hamburg 1990

einer Reihe von Provokationen seitens der rechten Traditionalisten reiste er mit seinem Jeep überstürzt ab.

Am nächsten Morgen wurden wir wie Soldaten von einer Fanfare geweckt. Wir frühstückten auch gemeinsam mit den Soldaten und wurden zum anschließenden Frühsport eingeladen. Die Bundeswehrangehörigen waren von uns begeistert. Wie rechts wir waren, hatten sie vielleicht gar nicht bemerkt.

Diese Treffen von Liebhabern militärhistorischer Fahrzeuge auf Bundeswehrgelände sollen regelmäßig in Putlos bei Hamburg stattfinden, ich war nur dieses eine Mal dabei.

Zum Nazi geschult

Neben den Wehrsportlagern haben regelmäßige Schulungen für den Zusammenhalt in der rechten Szene eine große Bedeutung. Ich hielt in meinen „Kameradschaften" wöchentlich solche Schulungsabende ab. Ich war durch die Medien inzwischen so bekannt geworden, daß mich ständig Jugendliche auf der Straße ansprachen, um die Verbindung zu uns herzustellen und sich nach den Aufnahmebedingungen bei uns zu erkundigen. Eines Tages, ich war zu einem Eishockeyspiel gegangen, sprach mich der Hooligan Johannes Hochstetter an. Ich gab ihm das Gefühl, es sei nicht so einfach, Mitglied einer „Kameradschaft" zu werden. Hochstetters Interesse wuchs. Ich erklärte ihm, er müsse erst eine Aufnahmeprüfung machen, nach der ich entscheiden würde. Ich wußte, daß Hochstetter nicht gerade ein Geistesriese war. Also erklärte ich ihm, daß ich ihn in ein Konzert des rechtsradikalen Liedermachers Frank Rennike mitnehmen würde und er mir danach beweisen müßte, ob er den Inhalt der Lieder auch

63/64   Im Bunker Groß-Köris.
(Aufnahme von 1992)

verstanden hätte – eine Aufgabe, die auch der Dümmste zu lösen vermag. Hochstetter bekam sein Erfolgserlebnis, und darauf kam es an. Nachwuchsleuten mußte immer das Gefühl gegeben werden, wie wichtig sie für die „Kameradschaft" seien. Die meisten Jugendlichen, die uns ansprachen, waren frustriert. Sie hatten keinerlei Zukunftsperspektiven. Ich baute sie auf und lobte sie gelegentlich, um ihr Selbstwertgefühl zu heben. Solche Anerkennung machte sie vollkommen abhängig von der Gemeinschaft, die wir „Kameradschaft" nannten. Diese „Kameradschaft" wird für viele zu einer Art Droge, von der sie nicht mehr lassen können. Da sie außerhalb der „Kameradschaft" keine Anerkennung erfahren, sind sie weitgehend isoliert, und es fehlen ihnen andere soziale Kontakte. Ewald Althans, der junge, sich intellektuell gebende Neonaziführer von München, hat das in einem Interview so beschrieben: „Diese Leute kommen zu mir, weil sie ein Leitbild suchen. Wenn ich denen sage: ‚Steh stramm!‘, dann tun die das, so etwas ist schon faszinierend in der heutigen Zeit. Ich will diese Leute ganz haben. Diese orientierungslosen jungen Menschen sollen bei mir in einer Lebensgemeinschaft aufgehen, in der sie alles haben. Diese Leute sind eine ganz leicht knetbare Masse, die sich ganz leicht formen läßt. Überall, wo die jungen Leute nach Hilfe schreien, da fahre ich dann hin und sammle sie ein und mache dann ordentliche Nationalsozialisten aus ihnen. Ich will diese Leute ganz haben. Das muß man sich vorstellen wie eine Sekte. Diese Leute müssen vollkommen darin aufgehen und dürfen nichts anderes mehr wollen.“

Die nationalsozialistische Ideologie hat sich im Laufe der Zeit bei vielen so festgehakt, daß es jemandem wie dem Sozialdiakon Michael Heinisch kaum möglich sein wird, auch nur einen der Neonazis, mit denen er sich beschäftigt, von seiner rechten Gesinnung abzubringen. Heinisch ist kaum älter als die Mehrzahl der rechtsorientierten Jugendlichen, mit denen er arbeitet. So lobenswert seine Initiative ist, er überschätzt seinen Einfluß und seine Möglichkeiten beträchtlich. Es kann ihm nicht gelingen, mit seinem Projekt „kampferprobten Nationalsozialisten“ eine Lebensalternative zu bieten. Er wäre besser beraten, sich in seiner Arbeit mehr mit gefährdeten und noch ungefestigten Jugendlichen, potentiellen Gewalttätern in der Altersgruppe zwischen dreizehn und achtzehn Jahren, zu beschäftigen – eine Riesengruppe, in der bei vielen eine demokratische Grundhaltung ohne Neigung zur Gewalt noch zu erreichen wäre.

Straßenschlacht in der Pfarrstraße

Manche meiner alten Freunde aus dem Pfarrstraßenprojekt des Michael Heinisch sind heute zum Beispiel so fanatisiert, daß ich von ihnen nach meinem Ausstieg massive Morddrohungen erhielt. Heinisch hat das Gewaltpotential einiger seiner Projektteilnehmer eindeutig unterschätzt.

Im Oktober 1991 wurde ein Brandanschlag auf unser Haus verübt, bei dem das Treppenhaus vollständig ausbrannte. Die autonome „Antifajugendfront" übernahm in einem Bekennerschreiben, abgedruckt in der Berliner „Tageszeitung", für diese Aktion die Verantwortung. Trotz dieser Vorfälle tranken wir am Tage des Richtfestes, von Heinisch leichtsinnigerweise in der Pfarrstraße 108 organisiert, jede Menge Alkohol. Ohne den TAZ-Artikel zu kennen, war uns klar, wer für den Brandanschlag verantwortlich zu machen war. Wir stellten einen linken Hausbesetzer, der draußen vorbeiging, zur Rede. Noch während dieser Unterredung wurde einer meiner Freunde von einem Stein im Gesicht getroffen. Jemand sah den Steinewerfer auf das gegenüberliegende, von Autonomen besetzte Haus zurennen. Einer von uns lief ihm hinterher und schlug ihn nieder. Nun eskalierte das Geschehen und wuchs sich zu einer regelrechten Straßenschlacht aus, bei der es etliche Schwerverletzte gab. Einer kam sogar mit einer Motorsäge. Heinisch gelang es im letzten Moment, den Mann zu beruhigen und ihm die Säge abzunehmen. Wie so oft zuvor, sah die herbeigerufene Polizei zunächst aus sicherer Entfernung zu, obwohl auch junge Frauen zu den Verletzten gehörten.

Als die gewalttätigen Auseinandersetzungen beendet waren, mußten viele der Beteiligten ins Krankenhaus eingeliefert werden. Ich selbst hatte einen ausgekugelten Oberarm, ein zerfetztes Augenlid, ein kaputtes Sprunggelenk, und es bestand der Verdacht auf ein Schädel-Hirn-Trauma. Noch auf dem Röntgentisch wurde ich verhaftet.

Sechs Stunden später wurden Frank Lutz, Mike Prötzke und ich wieder freigelassen und zur weiteren Behandlung ins Krankenhaus zurückgebracht. Am Abend wurden wir von dort entlassen.

65 Ingo Hasselbach bei einem Eishockeyspiel. (Aufnahme von 1992)

Am nächsten Vormittag gingen Frank Lutz und ich wie selbstverständlich durch die Pfarrstraße zur Arbeit. Die linken Hausbesetzer waren gerade dabei, die Reste ihrer von der Straßenschlacht
gezeichneten Autos wegzubringen. Die Autonomen sahen uns
fassungslos an. In der Pfarrstraße 108 trafen wir auf einen völlig
niedergeschlagenen Michael Heinisch. Ich begann sofort, mich
über die Linken von gegenüber aufzuregen. Der Diakon machte
nicht den Eindruck, als ob er sich mit uns darüber unterhalten
wollte: „Ihr seid alle suspendiert. Wir treffen uns in einer Woche
wieder und werden dann beratschlagen, wie es hier im Projekt
weitergeht."
Heinisch schien den Tränen nahe. Frank Lutz und ich sahen keinen Grund zur Trauer. Sämtliche Berliner Zeitungen berichteten
an diesem Tag über die Krawalle in Lichtenberg.
Am 19. Oktober 1991 fand dann die große Krisensitzung in der
Pfarrstraße 108 statt. Heinisch redete vor allen Projektteilneh-
mern um den heißen Brei herum. Jedem von uns war klar, was
passieren würde. Alle außer Frank Lutz, Mike Prötzke und ich
wurden nach Heinischs Rede rausgeschickt. Dann eröffnete er
uns, wir seien aus dem Projekt entlassen. Zur Begründung für

3.4. Forderungen an den Führer

1. **Urteilskraft**
   1. im Hinblick auf den einzuschlagenden Weg
   2. im Hinblick auf seine Gefolgschaft. Er muß ja erkennen, ob sie genug Kraft besitzt und willensmäßig in der Lage ist, die Schwierigkeiten zu bestehen, und welches Maß an Anstrengungen er von ihr fordern kann
   3. die nötige Selbstkritik, um zu erkennen, was er sich selbst zumuten kann.

2. **Überzeugungskraft**
   Er muß den Willen, ans Ziel zu kommen, in Allen wachhalten. Wenn der Wille der Anderen erlahmt und die Kräfte nachlassen, muß er begeistern und mitreißen.

3. **Energie und Ausdauer**
   Er darf nicht müde sein, selbst wenn die eigenen Kräfte im Sinken sind. Er muß der Geist, der treibende, nie erlahmende Wille der ganzen Gemeinschaft sein und bleiben.

4. **Motivation**
   Der Führer muß die Geführten motivieren können.
   1. Es müssen Ziele vorgegeben werden, die weit entfernt, aber erreichbar sind.
   2. Im Falle der Drohung, daß Geführte resignieren könnten, muß ehestens ein erreichbares Zwischenziel vorgegeben werden. Dieses muß leicht erreichbar und daher erfolgsversprechend sein. So kann die Aktionsfreudigkeit der Geführten wieder gesteigert werden.

5. **Lob und Tadel**
   1. Tadel
      1. Tadel darf nie beleidigend sein, sondern muß begründend sein.
      2. Die Mitteilung der Fehler muß die Begründung beinhalten und die Verhinderbarkeit.
      3. Niemals darf ein Kamerad im Beisein seiner Untergebenen getadelt oder kritisiert werden.
   2. Lob
      Lob hingegen soll vor versammelter Mannschaft erfolgen. Er adelt so den Gelobten und fordert die Untergebenen aber auch andere zur Nachahmung.

3.4.3. Erkennen der Kräfte, auch von Leute

125

4.4. Kontakt zu Behörden

1. Die folgenden Informationen beziehen sich auf jahrelange Erfahrungswerte. Sie können bei juristischen Änderungen oder Änderungen der Gegebenheiten selbstverständlich ebenfalls geändert bzw. angepaßt werden. Grundsätzlich ist aber zu empfehlen, dannach vorzugehen.
    1. Warum gibt es Kontakt mit der Behörde?
        1. Verhaftung
            1. Auf frischer Tat ertappt
            Erstkontakt mit Uniformierten
            Grundsätzlich sollte bei geplanten Unternehmungen, gleich aus welchem Grund immer, eine Absprache im Vornehinein stattfinden. Bei dieser muß abgeklärt werden, was, wer, wo gemacht, bzw. nicht gemacht hat. Ein Alibi muß bereits feststehen. Uniformierte wollen oft selbst "Detektiv" spielen und versuchen daher mit bestimmten Fragen das Gespräch in eine bestimmte Richtung zu lenken, um die gewünschten Aussagen bereits im Voraus zu haben und mit diesen Aussagen bereits bei den Kriminalbeamten "Liebkind" zu sein. Hier kann man durch ü b e r l e g t e s Reden versuchen zu ergründen, in welche Richtung die Befragung der Behörde gehen soll.
            Grundsätzlich jedoch sei noch bemerkt, daß durch schnelle Aussagenvorbereitung des Verantwortlichen der Aktion, das bedeutet, durch Zurufen wichtiger Daten, eine Einheitlichkeit der Aussage vorbereitet wird, soweit überhaupt eine Aussage zu machen ist.
            Grundsätzlich gibt man, wenn überhaupt notwendig, überhaupt nur das Delikt zu, bei dem man unmittelbar betreten worden ist. Von allem anderen weiß man nichts! (Warum nicht? Weil es eben so ist!)
            NICHT SCHOCKIEREN LASSEN! AUF KEINE ART UND WEISE!
            Dannach Kontakt mit der Kriminalpolizei (STAPO)
            Beamte beginnen grundsätzlich freundlich zu fragen. Bei der ersten Aussage (egal welcher Art diese ist) bleiben sie freundlich. Sie hören sich alles an was man zu sagen hat, und nicken freundlich dazu. Erst nach Beendigung der Aussage beginnen sie direkt zu werden (Nach dem Motto: "Na, aber der X hat das und das gesagt, wie können Sie sich das erklären?" Oder ähnliche Aussagen). Dies muß man immer dann befürchten, wenn die eigene Aussage dem bereits aufgebauten Gedankengebäude der Behörde widerspricht. Dies ist aber meistens der Fall, da die Behörde Aufklärungsergebnisse will, egal ob diese richtig oder falsch sind. In solchen Fällen immer bei der bereits getätigten Aussage bleiben – auch wenn diese nicht stimmt. Denn wenn man erst einmal die Aussage geändert hat, dann läßt die Behörde nicht locker und quält einen, bis man jene Aussage macht, die der Behörde "in den Kram" paßt.
            Es beginnt in dieser Phase auch das berühmte "guter Onkel – böser Onkel" Spiel. Dies sieht so aus, daß ein Beamter beginnt herumzubrüllen, möglicherweise auch herzuschlagen und mit all Möglichem droht. Dann kommt nach einiger Zeit des Exzesses ein anderer Beamter herein, der den ersten sachte maßregelt. Dies geschieht meist mit den Worten ähnlich wie: "Na komm, laß' ihn

66/67 Auszüge aus einem von Küssel erarbeiteten Schulungsmaterial für neonazistische Gruppen

68/69 Demonstration der „Freiheitlichen Deutschen Arbeiterpartei" im Berliner
Thälmannpark. 1. Mai 1991

seine Entscheidung führte er an, wir drei wären die Rädelsführer
der Straßenschlacht gewesen, obwohl er genau wußte, daß das
nicht stimmte. – Ein paar Monate später gab Heinisch in einem

Interview zu, er habe uns wegen des starken Drucks seitens der linken Hausbesetzer von der gegenüberliegenden Straßenseite aus dem Projekt geschmissen.

Nun waren wir wieder frei von allen Verpflichtungen, und ich hatte wie schon so oft das Gefühl, es ist sowieso alles egal und ich habe nichts mehr zu verlieren. Frank Lutz und Mike Prötzke ging es ähnlich wie mir. Frank Lutz und ich schlugen uns mit Gelegenheitsjobs durch, Mike Prötzke saß zu Hause und erweiterte sein Wissen über die Nazizeit. Die meiste Zeit hockten wir jedoch in irgendwelchen Lichtenberger Kneipen herum und ließen uns vollaufen. Schlägereien mit den Linken in der Pfarrstraße gehörten noch immer zu unserem Alltag.

Die Nazi-Demo im Thälmannpark

Am 1. Mai 1991 nahm ich an einer Demonstration der „Freiheitlichen Deutschen Arbeiterpartei" am Prenzlauer Berg teil. Gleichzeitig fand in Kreuzberg die traditionelle Maidemonstration der Linken und Autonomen statt. Als die Kreuzberger Organisatoren ihre Teilnehmer über die rechtsgerichtete Veranstaltung am Prenzlauer Berg informierten, strömten mehr als tausend von ihnen zum Thälmannpark in Ostberlin. Dort hatten sich ganze vierzig FAP-Leute versammelt. Die Linken erkannten mich und schrien: „Hasselbach, du altes Nazischwein!" Ich hielt eine schwarzweißrote Fahne in der Hand und wurde mit Pflastersteinen beworfen, die nur knapp an meinem Kopf vorbeiflogen. Einer der Rechten steckte mir ein Messer zu: „Das wirst du heute nötiger brauchen als ich!" Friedhelm Busse, Bundesvorsitzender der „Freiheitlichen Deutschen Arbeiterpartei", sah mich verwundert an. Nicht er, sondern ich war die offensichtliche Zielscheibe der Gegner. Im Handumdrehen waren wir eingekesselt. Die Polizei stellte sich zwar zwischen uns, es gelang ihr aber nicht, die Kontrolle über das weitere Geschehen auszuüben. Es hagelte aus allen Richtungen Steine. Ein weibliches Mitglied der „Freiheitlichen Deutschen Arbeiterpartei", das auch im Berliner Vorstand sitzt, wurde von einem Stein am Kopf getroffen und fiel um. In ihrem weißen Dirndl lag sie blutend am Boden. Noch Minuten vorher war sie Frank Lutz und mir durch ihr wichtigtuerisches und arrogantes Gehabe aufgefallen. Jetzt mußten wir grinsen.

Inzwischen war die FAP-Veranstaltung verboten worden, und die Polizeibeamten geleiteten uns zur nächsten S-Bahn-Station, deren Eingang für uns freigehalten wurde. Die Autonomen liefen mit und warfen weiter mit Steinen. Am Bahnhof Ernst-Thälmann-Park angekommen, flüchteten wir, so schnell es ging, in die bereitstehende S-Bahn. Ein paar Linksradikale standen auf den Gleisen und warfen weiter mit Steinen, so daß wir uns flach auf den Boden des Waggons legen mußten. Nach ein paar Minuten fuhr die Bahn endlich ab.

Am nächsten Tag kam Busse in meine Wohnung in der Wotanstraße, um dort mit dreißig Anwesenden einen „Kameradschaftsabend" durchzuführen. Vorher hatte ich zufällig mit Arnulf Priem, dem Chef von „Wotans Volk", telefoniert und ihm von Busses Absicht erzählt. Priem erregte sich furchtbar über Busse und forderte mich auf, Busse auf „die Sache in München" anzusprechen, wo er zwei „Kameraden" in ihr Unglück getrieben habe. Die beiden waren 1982 angeblich bei einem von Busse geplanten Banküberfall ums Leben gekommen.

Busse referierte sechs Stunden lang über die „Zusammenarbeit aller nationalen Kräfte". Als er fertig war, sprach ich ihn wegen München an.

„Woher hast du das?"

„Von Priem!"

„Der Schmuddelrocker soll sich um seine eigenen Angelegenheiten kümmern und nicht den Möchtegernführer spielen. Ich müßte den Kerl anzeigen!" Nachdem er sich lange genug über den Nazirocker Priem ausgelassen hatte, bat er die Anwesenden, in seine Partei einzutreten. Kaum einer folgte seiner Bitte, ich schon gar nicht.

70   Nazirocker Priem

Nazirocker Priem

Der fünfundvierzigjährige Arnulf Winfried Priem ist von Beruf Diplom-Betriebswirt. Er trägt auffällig langes Haar, das fettig auf seine Schultern herunterhängt. Von den einschlägigen Medien wird er als „Nazirocker" bezeichnet, aber ein Musiker ist er nicht. Schon in den siebziger Jahren gründete er die militante „Kampfgruppe Priem", und zur Zeit leitet er die militärische Kampfsportgruppe „Wotans Volk" e. V. Priem war NPD-Mitglied. Wegen versuchter Republikflucht saß der ehemalige DDR-Bürger vier Jahre im Gefängnis, ehe ihn die Bundesregierung freikaufte. Aber auch in der Bundesrepublik wurde der Staatsschutz schnell auf ihn aufmerksam, als er eine große Hakenkreuzfahne an der Siegessäule hißte. Dafür erhielt er eine vergleichsweise geringfügige Strafe. In den letzten Jahren hielt Priem sich in der Öffentlichkeit mit derartigen Aktionen zurück.

Priem verfügt über beste Verbindungen ins Ausland, unter anderem zu deutschen Kriegsverbrechern in Brasilien und Argentinien. Seinen Lebensunterhalt finanziert Priem vorwiegend durch eine bestimmte Art von Geschäften. Gelegentlich erhält er auch Unterstützung von seinen Nazifreunden. Da in der Vergangenheit die Autos von Priem regelmäßig in die Luft flogen, schenkte Worch ihm kürzlich einen neuwertigen Wagen.

Priem ist äußerst vorsichtig und vermeidet jedes Risiko. Er versteht es aber blendend, andere aufzuwiegeln.

Als ich ihn das letzte Mal besuchen wollte, klingelte ich mehrmals vergeblich an seiner Wohnungstür. Da ich wußte, daß er zu Hause sein mußte, er schläft fast immer bis zum Nachmittag, versuchte ich, von außen über den Balkon in seine Wohnung zu kommen. Zunächst mußte ich den Stacheldraht überwinden, dann an seiner Alarmanlage und den Videokameras vorbeischleichen, um bis zur Tür zu gelangen. Priem öffnete mir schlaftrunken die Tür: „Du hast ja vielleicht Nerven!"

„Wieso?"

Priem hob ein am Boden liegendes Fell und deutete auf die darunterliegende Metallkonstruktion. „Weißt du, was das ist? Das ist eine Bärenfalle, du Wahnsinniger. Wenn du da hineingetreten wärst, müßte dein Bein jetzt amputiert werden."

Ein paar Wochen zuvor war bei ihm eingebrochen worden, und er hatte die Einbrecher mit dem Feuerlöscher außer Gefecht gesetzt. Als die Polizei kam, lagen die Einbrecher gefesselt am Boden. Jetzt hatte er diesen Knochenbrecher installiert.

Einmal, als ich ihn besuchte, öffnete mir ein kleines Mädchen, Priems jüngste Tochter, mit den Worten: „Heil Dir!" Priem hat eine ganz besondere Auffassung von moderner Erziehung, die für Außenstehende nur schwer nachvollziehbar ist. Regelmäßig unternimmt er mit seinen Kindern nationalsozialistische Exkursionen in ehemalige Konzentrationslager. Dort erteilt er ihnen seine eigene Art von Geschichtsunterricht. Priem leugnet den Holocaust und warnt seine Kinder davor, den „Schwindel von der Massenvernichtung" zu glauben.

Wenn ihm seine Kinder einmal lästig werden, obwohl sie zumeist bei der geschiedenen Frau leben, gibt er ihnen etwas zum Kauen in die Hand und sagt: „Amüsiert euch ein bißchen allein, ich muß arbeiten."

In seiner Freizeit räumt er Kasernen aus, oder er treibt sich zusammen mit Wander in den Wäldern um Halbe herum, um nach Kriegsüberbleibseln zu graben. Einmal hatten sie sich an Toten vergriffen. Als einer der „Gauleiter" von Nordrhein-Westfalen davon hörte, kam er sofort nach Berlin. Er traf Priem in einer Kneipe und schlug ihn sogleich zusammen. Dann demolierte er das neue Auto. Priem mußte das widerspruchslos hinnehmen, und auch Worch, bei dem er sich beschwerte, hatte für Grabschändung kein Verständnis.

Waren Frauen in der Nähe, verhielt Priem sich immer ganz besonders „kameradschaftlich". Bei einer Eisenbahnfahrt wurde es ihm zu langweilig, und er begann sich sehr angeregt mit der

Freundin von Oliver Schweigert zu unterhalten. Der saß mit Frank Lutz, Göring und mir im Nebenabteil. Wir tranken jede Menge Bier und vertrieben uns die Zeit mit Kartenspielen. Als Schweigert nach seiner Freundin sehen wollte, blieb er wie versteinert vor dem Abteil stehen. Er mußte mit ansehen, was Priem mit seiner Freundin trieb. Danach war klar, das Mädchen hatte nun Priems Freundin zu sein. Er blieb zwei Jahre mit ihr zusammen. Kurz nach der Trennung erhielt er von ihr ein Geburtstagsgeschenk ganz besonderer Art: ein Videoband, auf dem zu sehen ist, wie sie sich nackt auszieht und selbst befriedigt. Priem war davon so beeindruckt, daß er das Filmchen als Vorspann für einen alten Propagandafilm benutzt, den er illegal in der Szene vertreibt.

Gelegentlich vergißt Priem jede Zurückhaltung. Beim letzten Todesgedenktag für Rainer Sonntag setzte er in einer Rede vor eintausend Neonazis eine Kopfgeldprämie für die Mörder aus. Von Journalisten wird Priem gelegentlich wegen seines „folkloristischen Aussehens" unterschätzt, er ist aber einer der gefährlichsten Nazis in Deutschland. Sein Aktionsgebiet sind fast ausschließlich kleinere Städte im Land Brandenburg.

Frank Lutz – der Erste Vorsitzende

An meinem fünfundzwanzigsten Geburtstag hatte ich mir von meiner Mutter einhundertfünfzig Mark geliehen, um meinen Kumpels ein paar Runden Bier spendieren zu können. In der Kneipe kam Frank Lutz auf mich zu und forderte mich auf, ihm die achtzig Mark zu geben, die ich ihm angeblich noch schuldete. Ich war der Überzeugung, ihm das Geld schon längst zurückgegeben zu haben. Ich drehte mich von ihm weg, hin zur Theke, um eine neue Runde zu bestellen. Frank Lutz war so erbost, daß er nach einem Stuhl griff, um ihn mir von hinten über den Schädel zu hauen. Mein jüngerer Bruder Jens ging dazwischen und drückte Frank Lutz weg. Ich hatte das alles gar nicht mitbekommen. Lutz schlug sofort auf meinen Bruder ein. Dessen Brille zerbrach, und er lag plötzlich mit gebrochenem Nasenbein am Boden. Ich wollte sofort auf Lutz losgehen, aber einige Gäste hielten mich fest. Andere hatten Lutz gepackt, zerrten ihn nach draußen und schmissen ihn einfach auf die Straße.

Bis zu diesem Tag war Frank Lutz ein guter Freund gewesen. Wir hatten fast zwanzig Jahre in der gleichen Straße gelebt und waren während der Schulzeit immer in einer Klasse gewesen. Anfangs war Lutz ein ordentlicher Jungpionier und sogar Vorsitzender des Gruppenrates gewesen. Seinen Mitschülern wurde er als Vorbild hingestellt, und er hatte auch genaue Berufsvorstellungen: Lutz wollte Offizier bei der Nationalen Volksarmee werden. Seine beiden Eltern arbeiteten beim Ministerium für Staatssicherheit in der nahen Normannenstraße.

Nach der Schule verlor ich ihn zunächst aus den Augen. Ich dachte, er würde seinen ihm vorgezeichneten Weg gehen, und zunächst begann er eine Lehre in der Druckerei der Armee. Ich war überrascht, als ich vier Monate später erfuhr, daß Lutz im Gefängnis saß. Er war zu zehn Monaten verurteilt worden, weil er grundlos einen Taubstummen zusammengeschlagen hatte. Nachdem diese erste Haft hinter ihm lag, verbrachte er nur sechsundzwanzig Tage in Freiheit. Während dieser Tage trafen wir uns zufällig in einer Kneipe. Sein Kopf war inzwischen kahlgeschoren. Wir unterhielten uns über unsere Schulzeit, da kam ein Farbiger an unseren Tisch und fragte Lutz, ihm freundschaftlich auf die Schulter klopfend, ob hier noch ein Platz frei sei. Lutz griff, ohne etwas zu sagen, blitzschnell in seine Tasche, zog eine Rasierklinge hervor und zog sie dem Schwarzen zweimal durchs Gesicht. Das Blut schoß hervor. Lutz sprang auf und rannte weg. Ich folgte ihm, um nicht in diese Sache hineingezogen zu werden.

Kurze Zeit später saß Lutz erneut für ein Jahr im Gefängnis.

Nach der zweiten Haftentlassung versuchte Lutz, sein Leben wieder in den Griff zu bekommen. Er brach jeden Kontakt zu den Skinheads ab. Er bekam eine Wohnung, die er zusammen mit seinen Eltern renovierte, und arbeitete als Drucker bei der Gewerkschaftszeitung „Tribüne".

Eines Tages ging er in Begleitung eines Freundes in eine Diskothek. Plötzlich kam einer der Rausschmeißer und forderte die

71   Frank Lutz in der Weitlingstraße 122. 1990

beiden auf, die Diskothek sofort wieder zu verlassen. Leute mit
Springerstiefeln seien hier unerwünscht. Lutz und sein Kumpel
weigerten sich, dieser Aufforderung nachzukommen, sie hatten
nichts getan. Die Volkspolizei wurde verständigt, in der Diskothek seien Skinheads. Die beiden wurden hinausgeprügelt. Lutz
verlor dabei ein paar Zähne, er erlitt einen bleibenden Nieren-
schaden, und die Sehkraft auf seinem rechten Auge war fortan
beeinträchtigt. Auf dem Polizeirevier mußte Lutz länger als acht
Stunden in Handschellen auf dem Rücken liegen.
Sein nur leicht verletzter Kumpel wurde am nächsten Tag wieder
freigelassen, er war zu dieser Zeit noch minderjährig. Lutz hingegen konnte in seinem Zustand nicht entlassen werden, also erließ
der Staatsanwalt noch am gleichen Tag Haftbefehl gegen Lutz.
Nach einem halben Jahr Untersuchungshaft wurde Lutz wegen
Widerstandes gegen die Staatsgewalt zu zweieinhalb Jahren Gefängnis verurteilt.
Lutz wurde nach Neubrandenburg, in das modernste Gefängnis
der DDR gebracht, wo er über zwei Jahre in Einzelhaft saß. Im
Januar 1990 wurde er wieder freigelassen.
Danach sprach er kaum mit jemandem. Er schien mit allem
gebrochen zu haben und war vollkommen verbittert. Es schien,

daß er gar nicht wußte, wie er mit seinem Haß umgehen sollte.

Kurze Zeit nach seiner Haftentlassung wurde er zum Ersten Vorsitzenden der „Nationalen Alternative" ernannt. Es schien so, daß er begann, sich in der Weitlingstraße langsam heimisch zu fühlen. Er hatte nur zu Hausbewohnern Kontakt, auf die Verbindung zu seinen Eltern legte er keinen Wert mehr. Seinen Willen setzte er knallhart durch, und auch ich als Zweiter Vorsitzender hatte ihm damals zu gehorchen. Jeder von uns im Haus war an das Führerprinzip gebunden.

Die zahlreichen Journalisten, die zu uns in die Weitlingstraße kamen, versuchten immer, mich als Interviewpartner zu bekommen. Für den Ersten Vorsitzenden interessierten sich die Presseleute kaum. Ich glaube, daß ihn das geärgert hat und daß er neidisch auf mich war, obwohl er nie etwas in dieser Art gesagt hat. Er redete nur sehr selten über persönliche Dinge und wirkte immer verschlossen. Wahrscheinlich entwickelte er im Laufe der Zeit immer heftigere Aggressionen gegen mich, die sich dann an meinem fünfundzwanzigsten Geburtstag schlagartig entluden. Anders war nicht zu erklären, warum er mich hinterrücks mit einem Stuhl anzugehen versuchte.

Hin und wieder regte sich Lutz über meine anarchistische Lebensweise auf, er hatte immer irgendwelche festen Prinzipien, die ihn daran hinderten, das zu tun, was er eigentlich wollte. Nur dann, wenn wir über alte Zeiten redeten, blühte er auf. Wir wurden beide zusammen bei der Erstürmung der Weitlingstraße durch die Polizei am 27. April 1990 festgenommen. Sechs Wochen saßen wir in Untersuchungshaft, danach wurden wir freigelassen, aber Frank Lutz ließ sich nur noch sehr selten bei uns blicken. Er ging einer geregelten Arbeit nach und hatte eine feste Freundin, die ein Baby von ihm erwartete. Er schien sich langsam aus allem zurückzuziehen und sein Privatleben in den Vordergrund zu stellen. Zu dieser Zeit übernahm ich den Ersten Vorsitz in der „Nationalen Alternative". Nach der Geburt seines Sohnes schränkte er seine Aktivitäten noch mehr ein, und erst als wir aus dem Pfarrstraßenprojekt entlassen waren, Ende 1991, wurde er wieder aktiv. Er gründete eine neue „Kameradschaft", die bis heute ganz in der Tradition der alten SA steht. Nach meinem Ausstieg sind viele Mitglieder meiner letzten „Kameradschaft Sozialrevolutionäre Nationalisten" zu Frank Lutz übergelaufen. Heute organisiert Lutz regelmäßig Schulungsabende und Wehrsportlager.

Diese Kameradschaft hatte ich im Mai 1992 gegründet. Lutz organisierte zur gleichen Zeit eine andere „Kameradschaft". Zur Parteienarbeit verspürten wir schon lange keine Lust mehr, und wir glaubten auch, illegal wesentlich effektiver zu sein. Wir hatten vor, uns mehr an den Strukturen der RAF zu orientieren.

Anweisungen aus Übersee

Illegale Schriften machten wir uns zur Pflichtlektüre. In dem verbotenen Buch „Der totale Widerstand" fanden wir genaue Anleitungen zum Leben in der Illegalität. Bei Schulungen machten wir uns theoretisch mit der Handhabung von Sprengstoff vertraut und bauten Bomben auf dem Papier. Wir informierten uns darüber, wie man Brücken, Panzer und Schienenanlagen sprengt, und jeder von uns wußte, wie ein Auto am effektivsten in die Luft zu jagen ist. Wir diskutierten über potentielle Angriffsziele des rechten Terrorismus, das sollten zunächst einmal sozialistische und jüdische Denkmäler in der ehemaligen DDR sein.

Eines Tages erhielten wir ein Schreiben von einer außerordentlich einflußreichen Organisation in Übersee. Es war an eine fiktive Adresse geschickt worden – wir bedienten uns des Systems „toter Briefkästen", in die geheime Botschaften aber auch größere Mengen Naziaufkleber und Propagandazeitschriften gingen. In diesem Schreiben wurde uns mitgeteilt, daß es für die „Bewegung" doch von besonderem Interesse sein müßte, mitzuhelfen, Olympia 2000 in Berlin zu verhindern. „Störungen" von diesbezüglichen Veranstaltungen würden sicher Wirkung zeigen. So könne man den Staat wirksam treffen und dessen Unfähigkeit offenlegen, den Terrorismus effektiv zu bekämpfen. Die Tatsache, daß Olympia 1936 in Berlin stattgefunden hat, war in diesem Zusammenhang ohne Bedeutung. Es hieß auch, daß eine Verhinderung der Olympischen Spiele den Staat finanziell schwächen und die Regierung in der Öffentlichkeit bloßstellen würde. Es sei notwendig, die Handlungsunfähigkeit des Staates einer wachsenden Zahl unzufriedener Bürger immer wieder vor Augen zu führen und sie so für den Nationalsozialismus zu gewinnen.

Verschlüsselte Aufforderungen zu terroristischen Aktionen gehen mittlerweile ständig durch die gesamte rechte Szene. Diese Schreiben, die meist aus den USA oder den Niederlanden kommen, sind nach dem Lesen sofort zu vernichten.

Eines dieser Schreiben erreichte mich im Herbst 1992. In dieser Zeit war ich völlig durcheinander. Einerseits stand ich kurz davor, auszusteigen, andererseits war ich beeindruckt davon, jetzt einer terroristischen Vereinigung anzugehören. Über Jahre hinweg hatte ich mir alles über die RAF besorgt, dessen ich habhaft werden konnte. Eigentlich hatte ich immer davon geträumt, Terrorist zu werden, und meine Vorstellungen von einem Leben als ein solcher waren eher romantischer Art. Ich hielt Terroristen für Idealisten, die für eine bessere und gerechtere Welt kämpfen. Während meiner Zeit in DDR-Gefängnissen sah ich mich stets als Opfer eines ungerechten und autoritären Staates, der Gewalt auf mich ausübte. Gewalt wurde für mich zu einer alltäglichen Sache: Auf mich wurde Gewalt ausgeübt, und ich übte Gewalt aus. Der Zeitpunkt allerdings, an dem aus mir als „Opfer" ein „Täter" geworden war, war mir nicht bewußt geworden. Während der letzten Jahre hatte ich über lange Zeit keinerlei Bedürfnis mehr, in ein bürgerliches Leben zurückzukehren. Die Möglichkeit, in den Untergrund zu gehen, irritierte mich sehr, zumal meine Schwierigkeiten, mich weiterhin mit dem Nationalsozialismus zu identifizieren, immer größer wurden. Wie sollte ein „normales Leben" für mich aussehen? Ich wußte es nicht. Meine „Karriere" als Parteivorsitzender der „Nationalen Alternative" war beendet, Parteienarbeit interessierte mich nicht mehr. Ich sah nur eine Perspektive: in den Untergrund zu gehen.

Der RAF-Terrorismus hatte mich seit langem fasziniert, und mein Hang zu extremen Handlungen, der durch den Knast gefördert war, verstärkte diese Faszination. Mein im Gefängnis angestauter Haß war so extrem, daß ich Gewalt zur Lösung von Problemen in meiner Umwelt nicht mehr ausschloß. Andererseits empfand ich zum Beispiel die Gewalt gegenüber Ausländern und Punks schon lange als ungerecht. Bei „Kameradschaftsabenden" hatte ich vergeblich versucht, den Leuten klarzumachen, daß viele der Ausländer, deren Großväter einstmals von der Bundesregierung selbst geholt worden waren, nun schon in der dritten Generation hier leben. Von Rechtsradikalen verübte Gewaltaktionen hielt ich für schwachsinnig und auch feige, sie trafen immer Unschuldige, oft Frauen und Kinder. Mit diesen Äußerungen stieß ich bei meinen „Kameraden" nur auf Unverständnis. Die traurigen Vorgänge in Mölln, von vielen meiner „Kameraden" in dummer Weise bejubelt, entfernten mich immer weiter von ihnen.

Langsam ist es genug

Anfang Dezember 1992 zog Oliver Schweigert, neuer Vorsitzender der „Nationalen Alternative", bei mir zu Hause in der Wotanstraße ein. Seine Freundin konnte ihn nicht mehr ertragen und hatte ihn rausgeschmissen. Ich war arbeitslos und kaum noch in der Lage, meine Miete allein aufzubringen. Schweigert ist ein ruhiger Eigenbrötler, der sich ganz gut allein beschäftigen kann. Das Zusammenleben mit ihm war zunächst ziemlich unproblematisch. Zudem füllte er regelmäßig den Kühlschrank auf und versorgte mich mit Zigaretten. Jeden Morgen um vier Uhr stand er auf, um sechs Uhr abends kam er nach Hause. Dann trank er regelmäßig einen Liter Bier und spielte vier Stunden lang Videospiele. Pünktlich um elf ging er ins Bett. In der ganzen Zeit, in der er bei mir wohnte, las er immer das gleiche Buch, eine Biographie des nationalsozialistischen „Märtyrers" Horst Wessel.
Ein einziges Mal hatte ich Schweigert im Verdacht, meine T-Shirts zu einem bestimmten Zweck zu benutzen, Beweise fehlten mir. Eines Tages jedoch fand ich beim Saubermachen eines dieser T-Shirts unter der Matratze des Vorsitzenden der „Nationalen

Alternative". Ich mußte verwundert feststellen, daß es völlig verklebt war. Auf Erklärungen seitens meines Mitbewohners verzichtete ich, ich teilte ihm lediglich am 22. Februar 1993 mit, er solle, so schnell er kann, aus meiner Wohnung verschwinden. Er war zugleich der erste, dem ich bei dieser Gelegenheit sagte: „Ich hab die Schnauze voll, ich steige aus!"

Schweigert versuchte einzulenken: „Ingo, entspann dich mal vierzehn Tage, danach geht's dir wieder besser!"

Ich nahm einen großen Karton, schmiß alle Propagandazeitschriften und -bücher, deren ich habhaft werden konnte, hinein und fragte ihn: „Wie ist es, willst du was davon haben, oder es wandert alles in den Ofen."

Schweigert grinste mich an: „Ist schon gut, du brauchst das alles noch."

Ich nahm einige Hefte, schraubte den Kachelofen auf und schmiß sie hinein. Schweigert stürzte sich auf den Karton: „Hör auf, Kamerad, überleg doch, was du machst."

„Ich weiß schon ganz genau, was ich mache, und nenn mich nie wieder Kamerad!" schrie ich ihn an.

Schweigert blickte ganz entsetzt, plötzlich konnte ich sein einfältiges Gesicht nicht mehr sehen. Ich griff nach meiner Jacke und gab ihm zwei Tage, sich davonzumachen.

Dann fuhr ich ziellos durch die Stadt. Am nächsten Tag fragte mich Schweigert, ob es mir wieder besser geht. Er glaubte, ich sei vorübergehend krank geworden. Ich enttäuschte ihn: „Mir ging's noch nie so gut! Es hat sich nichts geändert!"

„Das kann nicht sein, so ein überzeugter Nationalsozialist steigt nicht von heut auf morgen aus!"

„Das geht alles, wie du siehst. Ich hab's bis gestern auch nicht geglaubt. Ich hab einfach keine verdammte Lust mehr, diesen Scheiß hier noch länger mitzumachen."

„Das kann ich nicht akzeptieren", antwortete Schweigert drohend.

„Das ist dein Problem, da wirst du durchmüssen!"

„Es kann aber auch leicht deins werden", sagte er böse. Nun war er mein Feind.

Aber ich hatte keine Angst und auch keine Lust mehr, mit ihm zu

72   Oliver Schweigert in der Weitlingstraße 122. 1990

diskutieren. Am nächsten Tag holte er alle seine Sachen aus meiner Wohnung.

In einem hatte Schweigert natürlich recht: Von heute auf morgen war mein Entschluß nicht gewachsen.

Bonengels Film

Ich muß noch einmal etwas zurückgreifen und von Winfried Bonengel erzählen. Er ist der Mitautor dieses Buches, und er hat mir beim Schreiben viel geholfen. Wir haben unzählige Gespräche gehabt, in denen ich vieles begriffen habe. Manches von dem, was ich hier aufgeschrieben habe, stammt in den Formulierungen von ihm, ich bin ja weder Journalist noch Schriftsteller.

Anfang September 1991 erzählte mir mein Bruder Jens, daß in der Pfarrstraße irgend so ein Typ aus Frankreich rumschnüffelt, der einen längeren Film über die Szene machen will. Jens hatte sich schon ein paarmal auf ein Bier mit ihm getroffen, und nun wolle der Franzose auch mich kennenlernen. Ich lehnte fürs erste ab und riet auch meinem Bruder zur Vorsicht: „Man weiß nie, was die Presseheinis wirklich im Schilde führen." Stinki und mein Bruder trafen sich noch ein paarmal mit dem Filmemacher. Eines Tages kam der dann einfach in die Pfarrstraße 108 und verabredete sich mit mir zu einem Gespräch in einem Café in der Weitlingstraße. Frank Lutz und Mike Prötzke warnten mich vor dem Franzosen: „Was willst du denn mit dem? Der ist bestimmt vom Staatsschutz, und wenn nicht, dann arbeitet dieser linke, schwule Journalist für die Antifa."

Mit Heinisch hatten wir vereinbart, nichts mehr für die Presse zu machen und auch keine Kontakte zu ihr herzustellen. Trotzdem traf ich mich einfach mal so mit ihm, um zu sehen, was das für ein Typ ist. Wer sollte mir das verbieten? Er lebte seit mehr als acht Jahren in Frankreich. Bonengel erzählte mir, er sei nur deshalb nach Deutschland zurückgekommen, um einen umfangreichen Film über die rechte Szene zu machen.

In der folgenden Zeit versetzte ich ihn regelmäßig. Ich hatte einfach keine Lust mehr, irgendwas fürs Fernsehen zu machen. Im Oktober verlor ich aber meinen Job in der Pfarrstraße. Bei der Schlägerei mit den linken Hausbesetzern hatte man mich fast totgeschlagen. Ich arbeitete nicht mehr bei Heinisch, die Verabredung in Sachen Presse galt für mich nicht mehr, ich hatte nichts zu tun. Bonengel rief gelegentlich aus Frankreich an und fragte jedesmal, ob ich den Film mit ihm machen würde. Da ich zu dieser Zeit, trotz gelegentlicher Zweifel, noch immer die Absicht hatte, mich wieder stärker in der Szene zu engagieren, sah ich eine Möglichkeit, in diesem Film meine ungebrochene Treue zum Nationalsozialismus zu dokumentieren. Irgendwie hing mir ja die Sache mit den unterschriebenen Polizeiprotokollen, die Reinthaler hochgebracht hatte, noch an.

Lutz wollte nicht, daß ich mich mit dem Pariser Regisseur einlasse. Er hatte eine große Abneigung gegenüber Bonengel und wollte dessen Adresse von mir, um ihn „fertigzumachen". Er hielt ihn nach wie vor für einen linken Schnüffler. Mir schien aber, der Regisseur habe weder mit rechter noch mit linker Politik groß etwas am Hut. Er äußerte mir gegenüber, daß ihn nur Personen interessierten. Natürlich war ich auch eitel genug, davon geschmeichelt zu sein, die Leitfigur in diesem geplanten Film abgeben zu sollen, und ich wußte ja, was ich ihm zu sagen hätte und was nicht. Ich sagte Frank Lutz, er müsse auf einen Überraschungsbesuch bei Bonengel verzichten, der wohne in Paris. Ich traf mich immer häufiger mit Bonengel, unsere Gespräche vertieften sich, und ich bemerkte, daß er sich von allen anderen Journalisten unterschied. Die wollten immer nur ihre Story und zogen wieder ab auf Nimmerwiedersehen, Bonengel interessierte sich für mich als Person. Er sagte mir auch, ich entspräche keineswegs seinen Klischeevorstellungen von einem jungen Nazi und gerade deswegen sei es interessant für ihn, über mich einen Film zu machen. Im Oktober 1991, nach einer Naziveranstaltung in Halle, kam er zum erstenmal mit seiner Kamera zu mir in die

Wotanstraße. Er kam ganz allein, die Kamera war geliehen. Er stellte mir ein paar Fragen. Er bekannte mir auch, daß er für den Film überhaupt keinen Auftrag und damit auch kein Geld habe. Nach zwei Stunden verstaute er die Kamera wieder in seinem völlig demolierten VW Käfer, eine Scheibe war eingeschlagen, und fuhr zurück nach Paris. Wie wollte der einen längeren Film machen? Ich war skeptisch, irgendwie imponierte mir der Typ aber auch.

Ein paar Wochen später war er wieder da. Er erklärte mir, er habe sich inzwischen etwas Geld geliehen und nun könne es richtig losgehen. Ich hatte keine Arbeit und nichts Besseres vor, also machten wir uns mit Bonengels kleinem Team auf den Weg, quer durch ganz Deutschland. Ich fand Bonengel und seine Leute ganz okay, sie entsprachen überhaupt nicht dem üblichen Klischee von Filmleuten. Bonengel erdreistete sich immer häufiger, meine „Kameraden" lächerlich zu machen. Er spottete unablässig über meine Ideologie, schien aber genau zu wissen, wie weit er gehen konnte. Ich war ihm nicht böse, und manchmal gelang es ihm sogar, daß ich über das oft dumme, gespreizte Gehabe meiner „Kameraden" lächeln mußte.

Wir fuhren auch nach Langen zu Nero Reisz und zum „Ritter-kreuzträger" Otto Riehs. Beide übertrafen sich in ihrer Bierlaune gegenseitig an Geschmacklosigkeiten. Von Reisz' übelsten Ju-denwitzen wurde mir fast schlecht. Ich sagte keinen Ton mehr und fühlte mich für Momente Winfried und seinem Team näher, als ich es mir eigentlich zugestehen wollte.

Auf der Rückfahrt ging mir Bonengel extrem auf die Nerven. Diese „Frankfurter Runde" mußte ihn sehr gestreßt haben. Er machte sich Luft, indem er sich über die ganze „Bewegung" lu-stig machte. Er beruhigte sich gar nicht mehr. Dann erzählte er, geheimnisvoll tuend, er sei der Chef der NDKS. Ich fiel auf ihn herein und fragte, was das sei. „Was, du kennst die NDKS nicht? Da mußt du Verbindung hin aufnehmen! Das ist die ‚Neue Deut-sche Kolonialstaffel' in Paris. Wir haben genauso viele Mitglieder wie der Gau Salzburg, nämlich zwei!" Der Kameramann und der Tonmann lachten sich halbtot. Ich ließ all das über mich ergehen und war nur wenig beleidigt.

Bonengel wußte, daß Michael Kühnen einer der wenigen Rechten war, die ich wirklich schätzte. Also fing er damit an, zu beschreiben, wie Kühnen sich angeblich auf Pariser Schwulenparties herumgetrieben habe. Bonengel ging bis an die Grenze des für mich Erträglichen. Er mußte mich aus unseren Gesprächen schon ganz gut kennen. Wir unterhielten uns während der Dreharbeiten auch über den Massenmord an Juden im Dritten Reich. Ich dachte damals noch immer, die obskure These verteidigen zu müssen, eine Menschenvernichtung größeren Ausmaßes habe in Auschwitz nicht stattgefunden, obwohl ich innerlich schon Zweifel hatte. Die wollte ich Bonengel gegenüber keinesfalls deutlich machen. Ich spielte meine Rolle als Neonazi. Immerhin hatte er es aber geschafft, mich zunehmend nachdenklicher zu machen.

Ende Januar, nach Beendigung der Dreharbeiten, lud Bonengel mich sogar zu sich nach Paris ein. Ich lehnte ab. Zum einen hatte ich eine neue Arbeit gefunden, zum anderen dachte ich, es wäre besser, den Regisseur erst einmal ein wenig zu meiden. Bonengel hatte mich in der Zwischenzeit mit einigen seiner Bekannten zusammengebracht, und es war ein schönes Gefühl für mich, nicht nur von ihm, sondern auch von vollkommen unpolitischen Menschen akzeptiert zu sein. Diese Erfahrung war mir vollkommen neu, ich hielt sie aber zu dieser Zeit auch für gefährlich. Und obwohl ich wieder richtig aktiv in der Szene wurde, war der alte Enthusiasmus weg. Irgend etwas in meinem Leben hatte der Franzose verändert. War die Geschichte mit dem Nationalsozialismus doch nicht das Wahre, wenn ihn so viele kluge Leute ohne Wenn und Aber ablehnten? Früher war alles einfacher gewesen, und ich hatte mich als Neonazi richtig wohl gefühlt.

Bonengel drehte dann in meiner Wohnung noch ein paar Interviews mit mir. Ich war gar nicht mehr so begeistert, weiterhin die Naziideologie vor der Kamera zu vertreten. Dennoch machte ich, trotz innerer Zweifel, ein paar rassistische Äußerungen vor der Kamera, die mir vorher viel flotter von den Lippen gegangen wären. Ich spielte meine Rolle zu Ende. Bonengel, der meine Vorbehalte spürte, fragte mich, ob es mir lieber wäre, wenn ich überhaupt nicht in dem Film vorkommen würde. Das hat mir unheim-

73/74   Aus dem Film „Wir sind wieder da" von Winfried Bonengel

lich imponiert: Wegen meiner eigenen Zweifel, an denen er keinen geringen Anteil hatte, war er bereit, seinen Film, seine Arbeit, zu gefährden.

Die Gespräche mit Winfried wurden immer wichtiger für mich. Winfried forderte mich niemals direkt auf, auszusteigen. Frank Lutz warnte mich immer wieder ausdrücklich vor dem Franzosen: „Der Typ ist dein Untergang!"

Bonengel hatte sein ganzes Geld in den Film investiert und war nun mehr oder weniger pleite, ich verlangte von ihm kein Honorar, wo hätte er es hernehmen sollen?

Ein paar Monate später zeigte Winfried mir den fertigen Film. Er trug den Titel „Wir sind wieder da". Bonengel benutzte fast keine Kommentare, dennoch gelang es ihm, mich zu Beginn des Films als eine sympathische Figur zu zeigen, die sich mehr und mehr als brauner Rattenfänger entpuppte. Ich war über mich selbst erschrocken. Der Film war etwas völlig anderes als alle die anderen Reportagen, in denen ich bisher vorgekommen war. Da Bonengel den Film aber in Deutschland noch gar nicht verkauft hatte, machte ich mir weiter keine Gedanken darum.

Noch ein „Führer": Ewald Althans

Im August 1992 fuhren wir gemeinsam nach München zu Ewald Althans. Bonengel begann mit den Dreharbeiten zu seinem neuen Film „Beruf Neonazi". Diesmal wollte er einen westdeutschen Neonazi im Mittelpunkt haben, eben jenen Althans. Es kam ihm darauf an, dessen Wesenszüge und vor allem seine internationalen Verbindungen aufzuzeigen. Ich kannte Althans eher flüchtig, unsere Kontakte beschränkten sich darauf, uns gegenseitig einzuladen. Ich bewunderte Althans dafür, daß er, obwohl kaum älter als ich, schon zahlreiche große Veranstaltungen organisiert hatte. Althans versteht es wie kaum ein anderer im rechten Lager, Leute zu motivieren und sie anzustacheln. Er hat die Fähigkeit, sich intellektuell immer auf seine Gesprächspartner einzustellen. Der Sponsorenkreis, den er sich in den letzten Jahren aufgebaut hat, ermöglicht es ihm, ein Büro zu unterhalten, durch das er Naziliteratur verschickt. In diesem Büro, dem „Vertrieb AVÖ", gibt es Angestellte, die das Büro für ihn betreiben. Durch die Szene kursieren immer wieder Ansichten, er habe allzu viele von Kühnens Eigenschaften übernommen. In einer Schwulenzeitung soll er seine Neigung schon bestätigt haben. Auf Althans, der vor allem im Ausland derzeit als der „Neue Führer" bezeichnet wird, sind viele neidisch, vor allem natürlich jene, die diesen Titel gern für sich in Anspruch nehmen wollen. Auch mir hat Althans mehrfach angeboten, sein Büro in der Herzog-Heinrich-Straße für ihn zu führen, nachdem ihm sein früherer Mitarbeiter davongelaufen war. Althans ist es gewohnt, alles allein zu bestimmen und keine Widerrede zu dulden. Das war seinem früheren Mitarbeiter offensichtlich zuviel geworden. Althans bot mir auch gleich eine Wohnung an, und ich überlegte hin und her. Winfried hatte Angst, ich könnte das Angebot, das durchaus verlockend war, annehmen.

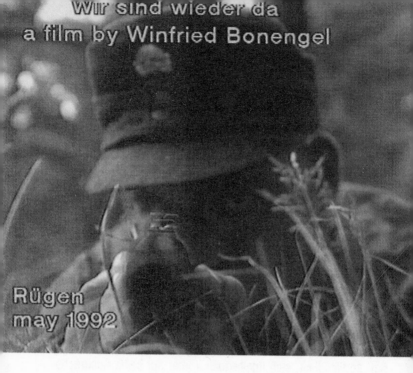

Wir sind wieder da
a film by Winfried Bonengel

Rügen
may 1992

Mein Ausstieg aus der Szene wäre dadurch in weite Ferne gerückt.

Von den Dreharbeiten zu „Beruf Neonazi" weg fuhren Althans und ich gemeinsam nach Rostock, dort waren die Krawalle seit Tagen im Gange. Wir wollten sehen, was dort wirklich los war. Wir gaben ein paar Interviews, und ich fuhr zurück nach Berlin. Pressemeldungen von damals, Rostock sei überregional geplant gewesen, kann ich nicht bestätigen. Und auch der Drahtzieher von Rostock, wie eine Berliner Zeitung schrieb, war ich nicht. Leute wie ich haben allerdings immer wieder durch ausländerfeindliche Hetzparolen andere mit dazu verleitet, Steine und Molotowcocktails auf Wehrlose in der Minderheit zu werfen, nicht nur in Rostock-Lichtenhagen. Nach Rostock kam ich am letzten Tag, kurz bevor die Sache ein Ende gefunden hatte.

Winfried war in den folgenden Monaten mit seinem Film über Althans beschäftigt, ich verlor ihn für einige Zeit wieder aus den Augen.

Im Spätherbst 1992 passierten die Morde von Mölln, die mir sehr nahegingen. Jetzt war für mich ein bestimmtes Maß überschritten. Ich äußerte das auch gegenüber meinen „Kameraden", die für meine Haltung nicht das geringste Verständnis aufbrachten. Sie feierten im Gegenteil die Täter, die ich für dumm, feige und hinterhältig hielt, als Märtyrer. Ich stand ziemlich allein da und begann mich zurückzuziehen.

Dann war die Sendung von Winfried Bonengels Film „Wir sind wieder da" im Ostdeutschen Rundfunk Brandenburg. Die Reaktionen, die ich darauf verspürte, waren verheerend für mich. Meine Mutter kam noch am gleichen Abend zu mir. So hatte ich sie noch niemals gesehen. Sie war einfach fertig. Ich hatte in ihrer Gegenwart die Sache mit den Neonazis immer zu verharmlosen versucht. Nun war sie außer sich über meine Äußerungen in der Öffentlichkeit. Ich hatte im Film unter anderem gesagt, ich sei bereit, Rechtsterrorist zu werden. Auf einem der Bilder war ich zusammen mit Michael Kühnen zu sehen, den jetzt jeder kannte. Es tat mir sehr weh, meine Mutter so leiden zu sehen. Sicher, ich hätte früher an sie denken sollen, aber ich hatte mich bisher immer auf sie verlassen können. Nach diesem Film begreife sie erst, was für ein gefährlicher Neonazi ich sei. Dieser Film hatte sie tiefer getroffen als meine diversen Verurteilungen zu DDR-Zeiten. Ich bemerkte, wie in Lichtenberg Leute auf der Straße mit dem Finger auf mich zeigten, in einigen Kneipen wurde ich nicht mehr bedient.

Ich mußte auch damit rechnen, daß die militante Antifa etwas gegen mich unternimmt. Und tatsächlich machten sich einige Tage später ein paar Linksradikale an der Hauptgasleitung des Hauses, in dem ich wohnte, zu schaffen. Es hätte nicht viel gefehlt, und das ganze Mietshaus wäre in die Luft geflogen. Andere Hausbewohner hatten die Autonomen jedoch rechtzeitig bemerkt und verjagt.

Ein anderes Mal patrouillierte stundenlang ein Auto der Autonomen vor meinem Haus. Immer hatte ich eine Waffe zur Selbstverteidigung bei mir.

Meine Freundin hatte mich verlassen. Natürlich hätte ich zu meinen alten Kumpels gehen können, aber dazu fehlte mir die Lust.

75   Ingo Hasselbach und Althans in Rostock-Lichtenhagen.
27. August 1992

Winfried konnte ich nicht erreichen, er hat in Deutschland keinen
festen Wohnsitz. Ich fühlte mich vollkommen allein gelassen, sah
keine Perspektive mehr für mich und war am Tiefpunkt angelangt.

Ich bin draußen

Kurz vor Weihnachten tauchte Winfried plötzlich von sich aus bei
mir auf und bot mir an, über die Feiertage mit zu ihm nach Paris
zu kommen. Ich sagte sofort zu. In Paris machte er mich mit
seinen Freunden bekannt. Die Gespräche mit ihnen lenkten mich
ab und gaben mir wieder Mut. Ich war dort nicht nur der Neonazi,
und langsam stieg die Hoffnung, vielleicht doch noch etwas Ver-
nünftiges zustande zu bringen. Ich konnte wieder einen klaren
Gedanken fassen, ohne ständig auf der Hut vor irgendwelchen
linksradikalen Angriffen zu sein. Diese Pariser Tage mit Winfried
und seinen Freunden waren für meinen späteren Ausstieg von
entscheidender Bedeutung.
Aber noch hatte ich im Januar 1993 eine letzte Gerichtsverhand-

lung wegen Körperverletzung vor mir. Ich sagte mir: „Wirst du freigesprochen, ist das die entscheidende Chance zum Ausstieg, wirst du verurteilt, gehst du in den Untergrund. Gefängnis scheidet aus."

Ich wurde freigesprochen. Nun mußte ich mich an meine mit mir selbst getroffene Absprache halten. Versuche, schon früher auszusteigen, scheiterten immer wieder daran, außerhalb der Szene niemanden zu kennen, an den ich mich halten konnte und der zu mir stand. Auch diesmal hatte ich panische Angst, in ein tiefes schwarzes Loch zu fallen. Es war mir klar, daß ich meine alten Kumpels nie mehr sehen, daß sich mein Leben von Grund auf ändern würde.

Mit Schweigert hatte ich gesprochen, nun besuchte ich in diesen Tagen noch einmal jeden meiner alten Freunde. Ich wußte, ich sah sie zum letztenmal. Aber es war für mich ein beruhigendes Gefühl, mich endlich aus diesem alten Leben zu verabschieden. Unter den alten Freunden gab es kaum einen, der in der Lage war, Freundschaft höher zu bewerten als ideologische Verbundenheit. Das weiß ich erst jetzt genau, nachdem ich endgültig draußen bin.

Mach's gut, Tommi

Ich will noch von Tommi erzählen, er ist eine von den wenigen Ausnahmen. Schon immer hat ihm persönliche Freundschaft mehr bedeutet als Parteienzugehörigkeit. Er ist vollkommen normal geblieben, obwohl gerade ihm besonders übel mitgespielt wurde. Anfang der achtziger Jahre war er mit Hippies rumgezogen, dann hatte er sich den Punks angeschlossen, genau wie ich. Tommi ging niemals zur Arbeit, er wollte sich zu keiner Zeit dem DDR-Alltag anpassen. Seine erste Gefängnisstrafe erhielt er dann auch wegen Arbeitsbummelei. Er verschwieg auch gegenüber niemandem, daß er die DDR lieber heute als morgen verlassen wollte. Nach vier Jahren Haft erhielt Tommi 1987 ein dreijähriges Berlin-Verbot. Er mußte irgendwo in Mecklenburg aufs Dorf und dort in der Landwirtschaft arbeiten. Seine Aufgabe in der Genossenschaft bestand darin, die Pferde zu pflegen und Gespanndienste zu leisten. Er liebte den Umgang mit Pferden und hatte Spaß an dieser Arbeit.

Eines Tages besuchten Frank Lutz und ich ihn in seinem Dorf. Abends lud er uns in die Kneipe ein. Die Einheimischen warfen mißtrauische Blicke auf uns. Berliner waren überall nicht gerade beliebt, unsere starken Tätowierungen verstärkten die Skepsis der Bauern. Wir gingen an die Theke und tranken in Ruhe unser Bier. Viele der Gäste, die Kneipe hatte sich inzwischen gefüllt, tanzten zur Diskomusik. Plötzlich bat Tommi um Ruhe. Die Musik hörte sofort auf zu spielen, und die Gäste blickten uns erwartungsvoll an. Tommi räusperte sich und sagte: „Ich möchte nur bekanntmachen, daß ich ab heute der Chef in diesem Dorf bin. So, und nun weitermachen." Tommi drehte sich um und grinste mich an.

Nach diesem Auftritt war Tommi plötzlich sehr beliebt im Ort. Viele, vor allem junge Leute, luden ihn auf ein Bier ein, und es ging ihm gut. Ein Verantwortlicher in der LPG bemerkte das und nahm ihm die Pferde wieder weg. Da hatte Tommi keine Lust mehr zu bleiben und ging ohne Erlaubnis nach Berlin zurück.

Kurze Zeit später wurde er wegen Körperverletzung und Verstoßes gegen das Berlin-Verbot zu drei Jahren Gefängnis verurteilt. Doch diesmal kam er nicht in seinen Stammknast „Schwarze Pumpe", sondern in die Festung Waldheim. Hier waren im Dritten Reich politische Gefangene zu Tode gefoltert worden.

Waldheim war neben Brandenburg der berüchtigtste Knast der DDR, und so wurde Tommi mit den Worten begrüßt: „Hier ist Endstation, weiter geht es nicht. Von hier führt der Weg entweder direkt ins Irrenhaus oder in den Westen." Waldheim-Gefangene wurden sehr oft freigekauft. Aber dem Gefängnis gegenüber befand sich auch eine Nervenheilanstalt, die dem Ministerium für Staatssicherheit unterstellt war. Dort wurden politische Gegner und Oppositionelle willenlos gemacht, die dann völlig gebrochen von der „Behandlung" zurückkamen.

Am Tage seiner Ankunft wurde Tommi in eine Zelle mit vierzig Gefangenen gesteckt. Die meisten dieser Strafgefangenen waren homosexuell. Zwei der Häftlinge versuchten sofort, allerdings erfolglos, Tommi zu vergewaltigen. Noch am gleichen Tag wurde Tommi in Einzelhaft verlegt. Ich hatte zu dieser Zeit eine Freundin, die Tommi gut kannte und ihn öfter besuchte. Sie erzählte mir, Tommi sei vollkommen allein, nicht mal seine Eltern kämen zu Besuch. Von da an schickte ich ihm regelmäßig Zigaretten und andere Dinge, die meine Freundin einpackte. Im November 1989 wurde Tommi entlassen. Danach lernte ich ihn erst richtig kennen, und es verband uns seit dieser Zeit eine enge Freundschaft, in der Politik keine Rolle spielte. Tommi gehört zu den wenigen, bei denen ich es bedauere, sie jetzt nicht mehr sehen zu können.

Jetzt wissen sie's – Rückkehr unmöglich

Ich bat Winfried Bonengel, mir die Möglichkeit zu verschaffen, meinen Ausstieg auch öffentlich und so deutlich machen zu können, daß es in der rechten Szene bekannt würde und unmißverständlich klar sei. Er traf eine Absprache mit den Verantwortlichen, die für „SAT 1" ein Politmagazin „Akut" produzierten. Sie schickten einen von diesen strebsamen Journalisten nach Berlin, der mit übertriebener Freundlichkeit irgendwelche bisher unbekannten Geheimnisse aus der rechten Szene erfahren wollte. Aber das war ja auch sein Job. Der Journalist war vollkommen fasziniert von dem, was ich ihm über die „Gesinnungsgemeinschaft der Neuen Front" erzählte. Sein Eifer amüsierte uns ein wenig, kam es mir doch nur darauf an, meinen Ausstieg zu dokumentieren. Der Journalist hingegen war, wie viele vor ihm, in erster Linie an einem sensationellen Insiderbericht mit möglichst vielen bisher unbekannten Informationen interessiert. Er ließ in seinem Eifer nicht nach. Winfried ermahnte mich, mit meinen Äußerungen vorsichtig zu sein, um mich nicht unnötig in Gefahr zu bringen. Ich versetzte den Journalisten immer wieder, aber er rief dauernd auch bei meiner Familie an. Endlich, am 15. März 1993, wurde der kurze Bericht auf SAT 1 ausgestrahlt. Die Neonazis haben den Film natürlich alle gesehen, ansonsten blieb er aber ziemlich unbeachtet.

Einen Tag vor der Sendung bat ich Michael Heinisch, mir kurzfri-

76   Schmiererei an Hasselbachs Wohnhaus in der Wotanstraße

stig eine Bleibe zu besorgen. Aber er schien überhaupt nicht zu begreifen, daß ich wirklich Ernst machte und daß das alles auch nicht ganz ungefährlich für mich sei. Ich merkte schnell, daß Heinisch nicht bereit war, einen Finger für mich zu rühren. Jetzt bekam ich es wirklich mit der Angst zu tun.

Wieder schaltete sich Winfried ein. Abgesehen von meiner Familie war Winfried wirklich der einzige, der in dieser schweren Zeit zu mir hielt und sich, immer wenn es darauf ankam, um mich kümmerte.

Ich habe damals viele Journalisten kennengelernt, die mir zwar Freundschaft und Hilfe anboten, in Wirklichkeit aber nur ihre eigenen, materiell bestimmten Interessen verfolgten. Als es zum Beispiel um den günstigsten Zeitpunkt für eine große Reportage über mich in einer sehr großen Zeitschrift ging, mußte auch mein Problem zur Kenntnis genommen werden. Da war die Scheinfreundschaft zwischen dem Journalisten und mir schnell wieder zerbrochen. Solche Leute gefallen mir nicht, wenngleich ich ihre Motive begreife.

Jetzt, wo ich wirklich draußen bin, macht mancher seinen Anteil an diesem Schritt geltend. Das stimmt alles nicht.

Naziführer in der Lausitzer Straße !

INGO HASSELBACH, der seit einiger Zeit durch seinen angeblichen Ausstieg aus der Naziszene für Aufsehen in den Medien sorgt, wurde am Dienstag, den 31.08.93, im indischem Restaurant in der Lausitzer Str. gesehen.

Zum Ablauf:
HASSELBACH verließ in Begleitung einer Frau, welche augenscheinlich aus alternativen Kreisen stammt, das Lokal. Andere Gäste des Restaurants, die ihn erkannten, verfolgten beide. Am Hauseingang Lausitzer Str. 7 wurde er zur Rede gestellt, als die o.g. Frau und er sich gerade küßten. Im folgendem Handgemenge floh HASSELBACH die Treppe hinauf und klopfte laut um Hilfe schreiend an eine Tür im ersten Stock. Die Frau rannte zurück zum Lokal und mobilisierte mit der unverschämten Behauptung, ihr Freund würde von Nazis angegriffen, die indischen Angestellten und Gäste des Lokals.

Hasselbach: Als Hausführer in der Weitlingstraße 1990, auf der FAP-Demo am 1. Mai 92 und als "Austeiger" 1993

Diesem Umstand und der Verwunderung über die Begegnung seitens der Angreifer ist es zu verdanken, daß HASSELBACH leider mit dem Schrecken davonkam. HASSELBACH kam, nachdem die Angreifer verschwunden waren, zusammen mit drei oder vier Personen aus dem Haus und ging zurück in das Lokal.

Beschreibung:
HASSELBACH hat blond gefärbte Haare, ist sehr groß (über 1,90 m), bekleidet mit olivgrünem Armeeparka, der schon etwas abgeranzt ist, T-Shirt ''Sydney 2000'' (!), zwei Ohrringe im Linken Ohr. Die ihn begleitende Frau hat hennarote schulterlange Haare, ist etwa 1,60 m groß bekleidet mit hellbrauner Lederjacke und weinroter Hose und Lederrucksack. Sie ist etwa 25 Jahre oder etwas älter. Sie besaß einen Haustürschlüssel zur Nr. 7.

Der Wirt des indischen Lokals meinte, HASSELBACH hätte öfter in seinem Lokal verkehrt und würde wahrscheinlich in der Straße wohnen. Man stelle sich die groteske Situation vor: HASSELBACH, noch vor wenigen Monaten Gewalt und Mord gegen Ausländer propagierend, sucht Schutz bei Indern. Die ihn begleitende Frau hetzte gezielt gegen die Antifaschisten, bezeichnete sie als Nazis. Beide, HASSELBACH und seine Begleiterin wußten aber sehr genau worum es geht.

Kreuzberger Alternative verstecken und beschützen also wissentlich Faschisten !

77   Flugblatt, gefunden vor einem vorübergehenden Wohnquartier Ingo
Hasselbachs in Berlin. September 1993

Winfried behauptete nie, mich aus der Szene geholt zu haben. Das ging so auch gar nicht. Der Ausstieg war ein langer, für mich schmerzlicher Prozeß mit vielem Hin und Her. Letztlich habe ich allein geschafft, was mir allerdings ohne Winfrieds Anstöße, ohne seine Hilfe und ohne seine Freundschaft kaum gelungen wäre. Sein Film „Wir sind wieder da", unzählige Gespräche, neue Bekanntschaften, die ich durch ihn machte, aber vor allem sein Vertrauen gaben mir die Möglichkeit, mich endlich frei zu machen von meiner Vergangenheit.

Nachdem ich meinen Ausstieg öffentlich bekanntgegeben hatte, lud mich Winfried erst einmal zu sich nach Paris ein. Es war ein eigenartiges Gefühl, in einem Stadtviertel zu wohnen, in dem es fast nur Schwarze gab. Winfried wohnt als einziger Europäer in einem sechsstöckigen Altbau. Ich fühlte mich so, als ob eine schwere Last von mir gefallen wäre. Zum erstenmal hatte ich das Gefühl, eine Zukunft zu haben.

Zwar beschmieren meine alten „Kameraden" die Häuserwände meiner Wohnung in der Wotanstraße, die ich nicht mehr benutzen kann, ein „Kommando Horst Wessel" will mir ans Leben, aber ich habe keine Angst. Ich bin nur ein wenig traurig darüber, daß der ehemalige Vorsitzende der „Nationalen Alternative", Frank Lutz, den ich nun über zwanzig Jahre kenne, auf Rache sinnt. Im Grunde bestärkt mich das nur um so mehr darin, das Richtige getan zu haben. Ein anderer der „alten Kameraden", der immer darauf geachtet hat, in der Öffentlichkeit nicht erkannt zu werden, klebt sogar Steckbriefe von mir an Häuserwände. Noch nie ist ein Bild von ihm in der Zeitung oder im Fernsehen gewesen. In meiner ehemaligen „Kameradschaft" war dieser erst Neunzehnjährige der kälteste und brutalste Typ. Ich sah oft mit an, wie er bei Straßenschlachten mit den „Gegnern" kein Erbarmen zeigte und sogar von den eigenen Leuten gebremst werden mußte. Diese Typen versuchen auf die niederträchtigste Weise an mich heranzukommen und Rache zu üben. Selbst meine achtzehnjährige Schwester wurde bedroht und geschlagen.

Als ich davon hörte, stieg in mir der alte Haß hoch, und ich wollte los und zurückschlagen. Aber Unschuldige können auf andere Weise geschützt werden, und das geschieht auch. Ich bin zu einem Gegner von Gewalt und Gegengewalt geworden. Seit meinem Ausstieg wurde ich mehrmals sehr heftig provoziert, und ich war nahe dran, zuzuschlagen. Es gelang mir jedesmal, mich zu beherrschen und zu kontrollieren.

In der ersten Zeit nach meinem Ausstieg wurde ich ständig im Privatleben und in der Öffentlichkeit mit meiner Nazivergangenheit konfrontiert. Es ist mir heute unangenehm, allein deshalb interessant für die Leute zu sein, weil ich eine von Haß durchtränkte, menschenverachtende Ideologie vertreten habe. Vielleicht liegt es in der Natur des Menschen, Schurken anziehender zu finden als freundliche Leute, die ein normales Leben führen. Ich hoffe, eines Tages ein harmonisches Leben führen zu können, in dem es mir gelingt, mein persönliches Wertesystem zu verwirklichen.

Heute kann ich kaum noch nachvollziehen, daß ich in aller Öffentlichkeit Naziparolen verkündet und Jugendliche dazu animiert habe, neonazistischen Gruppierungen beizutreten. Ich hatte Glück, daß bei all den Gewaltaktionen, die ich leitete, niemand so schwer verletzt wurde, daß er bleibende Schäden davontrug. Ich habe diese Gewalttaten immer damit gerechtfertigt, daß ich selbst zu lange unschuldig im Gefängnis gesessen habe und die Linken ebenfalls gewaltbereit sind.

Meistens schrie ich laut, bevor ich auf jemanden einschlug. Diese Schreie nahmen mir die Angst. Das machte es möglich, auf immer leichtere Weise gewalttätig zu sein. Ich mußte anderen „Vorbild sein", durfte mir keine Blöße geben. Irgendwann gehörte diese Gewalt zu meinem Alltag, sie stand mir ins Gesicht geschrieben, sie prägte mein Auftreten, und sie verschwindet nur langsam.

Manchmal merkte ich, daß ich regelrecht Spaß daran hatte, andere zu überfallen und zu prügeln. Dieses Gefühl war bei vielen von uns vorhanden, bei einigen so extrem, daß sie leuchtende Augen bekamen, wenn sie auf andere einschlugen. Manch einer, zum Beispiel mein „Kamerad" Stinki, ist wahrscheinlich nichts anderes als ein anarchistischer Sadist, der sich den Nazis zugesellt hat.

Hätte ich von Anfang an in der Bundesrepublik gelebt, vielleicht wäre ich zur RAF oder in die linke gewaltbereite Szene gegangen. Fehlende Liebe und fehlende Anerkennung führen zu Frustrationen, die sich steigern können bis zum blinden Haß.

Lieber Hans!

Nun, wo ich am Ende meines Berichtes angelangt bin, will ich Dich, meinen Vater, noch einmal selber ansprechen. Natürlich habe ich nicht vergessen, daß es mein Wunsch ist, vor allem mit Dir zu reden.

Wenn meine Mutter nicht trotz allem immer zu mir gehalten hätte, würde ich diesen Brief nicht geschrieben haben. Sie bewahrte mich am Ende davor, Terrorist zu werden und im Untergrund zu verschwinden. Sehr wichtig sind für mich auch meine neuen Freunde. Sie helfen mir, mich in dieser anderen Zeit, in der wir jetzt leben, zurechtzufinden. Sie akzeptieren mich so, wie ich bin, und nur deshalb kann ich mich ändern. Ich muß mich einer Zeit anpassen, in der nur Geld und Erfolg zählen. Der Sinn des einzelnen für alle anderen ist kaum mehr gefragt, mit ihm kann aber auch nicht, wie damals in der DDR, in so schändlicher Weise Mißbrauch getrieben werden. Jeder ist für sich selbst verantwortlich, niemand nimmt ihm das Denken ab. Nationalsozialistische Gedanken und Organisationsformen, die den einzelnen unterordnen und ihm die Chance zu seiner Entfaltung als Mensch nehmen, sind unbrauchbar für die Zukunft. Da sind wir uns gewiß einig.

Ich muß mit Dir über meine und Deine Vergangenheit sprechen, darüber, wieviel unmenschlicher dieser autoritäre Staat DDR gegenüber dem Land war, in dem wir jetzt leben, in wie vielen Bereichen das Leben in der DDR aber auch menschlicher war, nicht nur in dem, was stets und ständig verkündet wurde.

Ich weiß nicht, welchen Eindruck Du jetzt von mir hast. Das wußte ich aber auch vorher nie. Immer wieder habe ich versucht, Deine Anerkennung zu bekommen, als ich merkte, wie zwecklos das war, fing ich an, Dich anzugreifen. Dafür möchte ich mich bei Dir entschuldigen.

Als ich vor zwei Monaten mit dem Schreiben begann, war ich an den Prenzlauer Berg gezogen, nun habe ich mich in eine Engländerin verliebt und lebe für eine Zeit in London. Winfried lebt jetzt in Italien, ich war öfters bei ihm. Ich lerne nebenbei Englisch und bin Ausländer in einer multikulturellen Gesellschaft. Manchmal kommt mir meine Neonazizeit nur noch wie ein böser Traum vor. Es ist ein gutes Gefühl, durch die Straßen einer Stadt gehen zu können und sich nicht dauernd umdrehen zu müssen, wer hinter einem geht. Jetzt, wo ich selbst Ausländer bin, begreife ich den Schwachsinn, Ausländer diskriminieren zu wollen. Vielleicht wäre es witzig, Neonazis als Missionare nach Afrika zu schicken. In der DDR waren Ausländer bewußt isoliert, und die Jugendlichen hatten kaum Kontakt zu ihnen, höchstens wenn es um die Mädchen ging, denn Ausländer sind nicht selten echte Konkurrenten für so manchen verpickelten Bierbauch von zwanzig Jahren. Viele junge Leute hatten Vorbehalte aus Unwissenheit, das hat die menschenverachtende Ideologie der Nazis geschickt auszunutzen verstanden.

Früher hatte ich einen Traum, ich wollte Journalist werden, so wie Du, ich wollte schreiben für die Wahrheit und die Gerechtigkeit. Meine Mutter sagte manchmal, ich wäre Dir so ähnlich, und ich finde es interessant, daß Du in meinem Alter ein Buch geschrieben hast. Ich denke, es gibt viele Parallelen zwischen uns, die wir beide nur noch nicht kennen.

Heute will ich nicht mehr Journalist werden, ich habe fast nur solche getroffen, denen es allein um ihre Exklusivstory geht. Das allein reicht nicht, weder für die Leute, über die sie schreiben, noch für die Leser. Ich kann auch nicht anderen Leuten Freundschaft heucheln, und an sensationellen Berichten über mich bin ich nicht mehr interessiert. Viele kleine Nazis sind scharf darauf, in die Medien zu kommen, und manch ein Leser hat sein festgefügtes Bild, das er immer wieder bestätigt haben will. Eine gewisse Art von Journalismus und Neonazis bedingen einander, sie brauchen sich gegenseitig. Für den Journalisten ist jede Story Geld, für den Nazi ist sie Werbung.

Sicher wird mich meine Neonazivergangenheit immer mal wieder einholen, obwohl ich wirklich nicht mehr darüber sprechen mag.

Ich bin ausgestiegen und werde alle Gründe dafür nicht nennen können, ich kenne sie selbst nicht. Ich spürte, das, was ich da predigte, war falsch, gefährlich und lächerlich in dieser so weit zusammengewachsenen Welt, in der allein aus technischen und wirtschaftlichen Gründen ein Land nicht mehr ohne das andere auskommt.

Ich habe Dir die entscheidenden Momente meines Lebens geschildert. Ich interessiere mich auch für Dein Leben. So könnten wir's beide besser meistern. Neonazismus löst keine Probleme, er vertieft sie nur. Sich irgendeinem Verein anzuschließen und zu glauben, so könne es nun gehen, ist zu einfach. Man ist allein verantwortlich für sich, und niemand nimmt einem diese Verantwortung ab. Hoffnung kommt nicht von allein, man muß sie sich selbst erarbeiten. Mein Leben kann jetzt nur besser werden. Jeder Mensch kann sich zu jeder Zeit verändern. Du und ich. Wir glaubten, uns hassen zu müssen, aber vielleicht hätten wir nur ohne Vorbehalte und ohne Absichten miteinander reden sollen. Das hätte vielleicht schon etwas genutzt.

Ich würde mich jedenfalls wirklich freuen, wenn ich Dich mal zum Kaffee einladen dürfte.

Ingo

Lo Hasselbalg

Nachwort

Ich traf Ingo Hasselbach zunächst als Flüchtling, bedroht von ehemaligen politischen Gegnern, erst recht von seinen früheren Freunden, die ihm bereits eine Sprengbombe mit 650 Gramm Sprengstoff ins Haus geschickt hatten. Nur ein Fehler in der Zündvorrichtung hatte seiner Mutter, die das Päckchen öffnete, das Leben gerettet. Mir begegnete er von vornherein mit offenem Vertrauen, ich ihm zunächst nur mit der Neugier des Psychoanalytikers. Hatte ich etwa einen windigen Typen vor mir, der sich mal in der Rolle des provozierenden Neonazis, dann in der Rolle des bestaunten Konvertiten gefiel? Hätte ja sein können. Aber rasch erkannte ich, daß er in beidem echt war: als Rebell und jetzt als Umkehrer in Erkenntnis seiner vormaligen Verirrung. Mit seinem Buch hatte er sich innerlich ein wichtiges Stück Freiheit verschafft, aber er war, abgesehen von seiner Freundin und dem Helfer Winfried Bonengel, von Gegnern umstellt. Das waren die linken Autonomen, die er bekämpft hatte, dann die ehemaligen politischen Bundesgenossen, die sich von ihm verraten fühlten – und nicht zuletzt die Sicherheitsbehörden, Generalbundesanwaltschaft und Bundeskriminalamt, die ihn weiterhin als vermeintlichen Terroristen, mit Hausdurchsuchungen und Vernehmungen drangsalierten. So kam ich dazu, ihn zu unterstützen.

Man kann seine Geschichte wie ein kleines persönliches Drama lesen: Trauma, Rache, Läuterung. Man kann daraus indessen auch politisch verschiedenes lernen: Wie ein Junge zum Neonazi wird, welche Kränkungen ihn zum Haß auf den Vater (Stiefvater), dann auf die gesamte Vaterwelt treiben, wie er als ewig Bestrafter immer mehr in seinen revolutionären Rachephantasien bestärkt wird, bis diese durch passende Verführer in die rechtsextreme Richtung gelenkt werden. Nicht nur sein Freund Freddy, wie es im Buch scheint, sondern er selbst hat im Knast die Erzählungen der zusammen mit ihm eingesperrten Nazi-Kriegsverbrecher, darunter eines hohen Gestapo-Chefs, gierig aufgesaugt. Dazu kam die aufputschende Neonazi-Rockmusik. Schließlich der verführerische Michael Kühnen, der einzige, den er je als Vorbild anerkannte und von dem er sich menschlich voll angenommen fühlte. Ohne diese Einflüsse hätte er, wie er selber sagt, auch bei der RAF landen können.

Mir hat er erzählt, wie ihn dann in der Neonazi-Szene die Macht faszinierte, den verhaßten DDR-Staat unter Druck setzen zu können: „Ein wahnsinniges Gefühl, wenn du weißt, daß wegen dir soundsoviele Polizisten aufgeboten sind... Man macht da so total Verbotenes. Man wird von allen Seiten überwacht. Man wird total geächtet. Das gibt einem Auftrieb, letztlich. Eine verschworene Gemeinschaft, eine Märtyrerrolle." Da war also viel von Befriedigung im Spiel, die verhaßte Repräsentanz der Vater-Autorität herausfordern zu können. Mit dem Grad der öffentlichen Empörung und dem Aufflammen staatlicher Gegenmaßnahmen wuchs bei ihm und seinen Mitkämpfern nicht etwa das Gefühl der Einschüchterung, sondern umgekehrt ein Bewußtsein von Stärke und Bedeutung.

Die Inhalte der Nazi-Ideologie waren für ihn wie offenbar auch manchen in der Gruppe nicht absolute Glaubenssache. Michael Kühnen wollte sich ja gelegentlich sogar mit linken Autonomen verbinden, um gemeinsam mit ihnen den Staat „platt zu machen". Hasselbach selbst führte entsprechende Vermittlungsgespräche, wurde aber schließlich von den Autonomen abgewiesen, die eine Falle Kühnens witterten.

Als Rebell gegen die als tyrannisch erlebte Staatsmacht stieg er in den Spuren Kühnens zum Anführer der nationalen Alternative auf. Aber dann kamen Rostock, Hünxe und Mölln und die Erkenntnis, daß dies keine Pannen waren, sondern konsequente Ergebnisse des vermeintlich gerechten Aufstandes. Es ging ihm auf, er hatte es nicht mit rebellischen Märtyrern zu tun, sondern mit Banden, die mit Terror über Schwächere herfielen. Antiautoritärer Kampf war seine Sache gewesen, nicht aber die Verfolgung von ohnehin benachteiligten und geängstigten Asylbewerbern und Fremden. So wurde er zum Abtrünnigen, wobei ihm Winfried Bonengel und seine tapfere Freundin zur Seite standen.

Aber dann ist er wie jeder, der aus einer fanatisierten, sektenartigen Gruppe entflieht, erst einmal ins Nichts gefallen. Denn von der Welt außerhalb der Organisation hatte er jahrelang völlig getrennt gelebt. Sein Buch, mit dem er die Endgültigkeit seines Bruches mit der Szene auch vor sich selbst beweisen wollte, brachte ihm die eine oder andere Einladung durch interessierte Kulturkreise, auch durch die Medien ein. Aber diese punktuellen Angebote änderten nichts an seiner Isolation in alltäglicher Gefährdung. Das Bundeskriminalamt verdächtigte ihn gar, das gegen ihn gerichtete Briefbombenattentat selbst inszeniert zu haben. In dem Szene-Info „NS-Denkzettel" wurde vorsorglich schon sein Tod gemeldet. Dennoch verweigerten ihm die Sicherheitsbehörden jede Schutzmaßnahme. Was nur unternommen werden konnte, etwaige andere Aussteigewillige aus der rechtsextremistischen Szene abzuschrecken, wurde getan.

Darüber ist nachzudenken. Warum fällt es der Gesellschaft schwer, einen wieder hilfreich aufzunehmen, der das tut, was die Mehrheit doch angeblich so sehnlich wünscht, nämlich daß Aktivisten der Neonazi-Szene den Rücken kehren? Warum bleibt es beim Interesse an der spannenden Geschichte, warum ist den Sicherheitsbehörden anscheinend die Sicherheit dessen nichts wert, dem sie einen Erfolg zu danken haben, an dem sie selbst keinen Anteil haben?

Ich habe in einer Rede an der Frankfurter Universität zu „Psychoanalyse und Rechtsradikalismus" über das Schicksal Ingo Hasselbachs berichtet. Es war eine alte verfolgte Jüdin, die anschließend das Publikum zu einer Resolution mit der Forderung an die Bundesanwaltschaft bewog, den Aussteiger zu schützen, anstatt weiterhin seine Verfolgung zu betreiben. Kurz danach wurde ihm daraufhin tatsächlich mitgeteilt, daß man das Verfahren gegen ihn wegen Gründung bzw. Mitgliedschaft in einer terroristischen Vereinigung nun endlich eingestellt habe.

Aber in jener Rede habe ich auch noch eine andere Bemerkung gemacht. Man kann die Biographie Ingo Hasselbachs auch so lesen: Da ist einer von uns Guten durch ein böses Kindheits- und Jugendschicksal in eine uns allen zutiefst fremde und verabscheuungswürdige Szene hineingetrieben worden, aus der er jetzt endlich dahin zurückgekehrt ist, wohin er eigentlich schon immer gehörte, nämlich zu uns guten und gerechten Anti-Nazis.

Aber wer solche Nähe zu dem jungen Mann verspürt, sollte doch auch den Gedanken zulassen, daß die Verführer, die Ingo Hasselbach für die Neonazi-Szene beworben haben, ihre Macht aus einem Gedankengut schöpfen, das über die Generationen hinweg hinter allen Tabus noch unter uns lebendig geblieben ist. Wenn so wenig aktive Hilfsbereitschaft zu erkennen ist, so einen wieder in die Gemeinschaft aufzunehmen, ist das nicht nur befremdlich, sondern vielleicht auch in gewisser Hinsicht verräterisch. Eine psychoanalytische Deutung kann lauten: Jene rechtsextreme Szene enthält noch mehr, als man es wahrhaben will, von inneren Anteilen einer Vielzahl von „Guten", die, was sie in sich selbst unterdrücken, draußen halten wollen, das heißt in der Projektion auf die aktiven Neo-Nazis. Ein junger Rechtsextremist, der das verstand, sagte in eine Fernsehkamera hinein: „Wir machen doch nur mit der Hand, was ihr im Kopf denkt." So rührt der Erfolg dieses Buches ja gewiß nicht einzig von dem dramatischen Schicksal der Hauptfigur her, sondern auch von der erweckten Faszination durch die Neonazi-Szene, von deren Exponenten und Interna sonst nur wenig durchsickert. Aber die Faszination darf sich nicht als eigene innere Verwandtschaft mit dem Faszinierenden verraten, und von dieser Verleugnung steckt einiges in der sonderbaren Unsicherheit, die im Umgang mit dem Autor zum Vorschein kommt.

Januar 1995   Horst-Eberhard Richter

Bildnachweis

Bonengel Films, Paris: 15, 18, 19, 21, 25, 28, 35, 36, 41, 73, 74
C. P. I. Text & Bild: 68–70
Hacky Hagemeyer/transparent: 47
Ingo Hasselbach privat: 2–5, 12, 13, 16, 17, 24, 29, 31–33,
37, 42–46, 48–57, 62, 71, 72
Ostkreuz, Agentur der Fotografen (Sibylle Bergemann): 6–11,
14, 26, 27, 34, 63–65, 76, 87
Ostkreuz, Agentur der Fotografen (Ute Mahler): 75
Heiko Wendtorp, Ost-Film: 1, 30, 58–61

Namen und Gesichter von im Buch erwähnten Personen, die
nicht relative Personen der Zeitgeschichte sind, wurden verfrem-
det bzw. geschwärzt.

Anmerkung zur 2. und den folgenden Auflagen:
Bedauerlicherweise kam es auf Seite 131/Zeile 30 der 1. Auflage
zu einer Namensverwechslung. Der dort erwähnte Name wurde
getilgt.

ISBN 3-7466-7013-6

1. Auflage 1995
© Aufbau-Verlag GmbH, Berlin 1993
Umschlagfoto Sibylle Bergemann
Typographie Peter Friederici
Schrift 10,5/12,5 Helvetica schmal
Clausen & Bosse, Leck
Printed in Germany

A^{t}V **Texte zur Zeit**

Band 7004

Hans Biereigel
Mit der S-Bahn in die Hölle
Wahrheiten und Lügen
über das erste Nazi-KZ

14,90 DM
ISBN 3-7466-7004-7

Schon kurze Zeit nach der Machtübernahme im Januar 1933 richteten die Nazis
in Oranienburg, vor den Toren der deutschen Hauptstadt, ihr erstes reguläres
Konzentrationslager ein. Es diente dazu,
Abgeordnete von SPD und KPD, Intellek-
tuelle, jüdische und linke Prominente
mundtot zu machen und ihren Wider-
standswillen zu brechen. Was spielte sich
ab in diesem Lager? Als Gerhart Seger auf
abenteuerliche Weise die Flucht gelungen
und sein Buch veröffentlicht war, konnte
die Welt Bescheid wissen ...

AtV

Band 8014

Erhard Lucas-Busemann
So fielen Königsberg und Breslau

Nachdenken über eine Katastrophe ein
halbes Jahrhundert danach

186 Seiten
16,90 DM
ISBN 3-7466-8014-X

Hitlers Ostkrieg war ein ungeheuerlicher
Eroberungs-, Versklavungs- und Vernich-
tungskrieg. Trotz der seit 1944 unabwend-
baren Niederlage verteidigten die deutschen Generäle den »Bestand des Reiches«
bis zum Äußersten. Am Beispiel von Kö-
nigsberg und Breslau weist der Sozialhisto-
riker Erhard Lucas-Busemann nach, daß
der »Kampf bis zum letzten Mann« Tau-
sende sinnlose Opfer kostete und einen
einzigartigen Kulturraum zerstörte. Die
eindringliche Darstellung setzt neue Ak-
zente in der Debatte über das Kriegsende
und die Haltung der Wehrmacht zum NS-
Staat.